LES ÉDITIONS DES INTOUCHABLES
512, boul. Saint-Joseph Est, app. 1
Montréal (Québec)
H2J 1J9
Téléphone : 514 526-0770
Télécopieur : 514 529-7780
www.lesintouchables.com

DISTRIBUTION : PROLOGUE
1650, boul. Lionel-Bertrand
Boisbriand (Québec)
J7H 1N7
Téléphone : 450 434-0306
Télécopieur : 450 434-2627

Impression : Transcontinental
Conception graphique : Mathieu Giguère, Marie Leviel
Mise en pages : Mathieu Giguère
Illustration de la couverture : Boris Stoilov
Direction éditoriale : Marie-Eve Jeannotte
Révision : Élyse-Andrée Héroux, Maude Schiltz
Correction : Élaine Parisien

Les Éditions des Intouchables bénéficient du soutien financier du
gouvernement du Québec — Programme de crédit d'impôt pour
l'édition de livres — Gestion SODEC et sont inscrites au Programme
de subvention globale du Conseil des Arts du Canada.

Nous reconnaissons l'aide financière du gouvernement du Canada
par l'entremise du Programme d'aide au développement de l'industrie de
l'édition (PADIÉ) pour nos activités d'édition.

Membre de l'Association nationale des éditeurs de livres.

Conseil des Arts
du Canada

Canada Council
for the Arts

Emrys

L'Âge d'or de Shamballa

Dans la même série

Emrys, Les Mondes oubliés, roman, 2010.
Emrys, L'Âge d'argent d'Hyperborée, roman, 2010.

Du même éditeur

Celtina, La Terre des Promesses, roman, 2006.
Celtina, Les Treize Trésors de Celtie, roman, 2006.
Celtina, L'Épée de Nuada, roman, 2006.
Celtina, La Lance de Lug, roman, 2007.
Celtina, Les Fils de Milé, roman, 2007.
Celtina, Le Chaudron de Dagda, roman, 2007.
Celtina, La Chaussée des Géants, roman, 2008.
Celtina, La Magie des Oghams, roman, 2008.
Celtina, Le Chien de Culann, roman, 2008.
Celtina, La Pierre de Fâl, roman, 2009.
Celtina, Le Combat des arbres, roman, 2009.
Celtina, Tir na n'Og, roman, 2010.

Chez d'autres éditeurs

Mon premier livre de contes du Canada, Saint-Bruno-de-Montarville, éd. Goélette, 2010.

Mon premier livre de contes du Québec, Saint-Bruno-de-Montarville, éd. Goélette, 2009.

Le Traître des plaines d'Abraham, série Phoenix, détective du Temps, Montréal, Trécarré, 2009.

Les Pièces d'or de Nicolas Flamel, série Phoenix, détective du Temps, Montréal, Trécarré, 2007.

Le Sourire de la Joconde, série Phoenix, détective du Temps, Montréal, Trécarré, 2006.

Le Concours Top-Model, Montréal, Trécarré, 2005.

Corinne De Vailly

TOME 2

L'ÂGE D'OR
DE SHAMBALLA

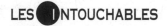

« Demain sera fantastique : tout le monde le sait. »
Le matin des magiciens,
Louis Pauwels et Jacques Bergier

CHAPITRE 1

Mattéo et Alixe étaient en pleurs, accrochés l'un à l'autre, à genoux sur le tapis du salon. Ils ne cessaient de murmurer les prénoms de leurs parents, comme si cela pouvait les faire réapparaître. Emrys tournait autour d'eux, sans un mot, semblant chercher quelque chose.

Lentement, de ses mains écartées, il balaya l'air à une dizaine de centimètres au-dessus de la tête du frère et de la sœur. D'abord, il ne ressentit rien. Puis, il perçut au bout de ses doigts un picotement très faible, bientôt suivi d'une sensation de chaleur prononcée. Il esquissa un sourire furtif.

Mattéo ravala un sanglot et le dévisagea.

— Arrête tes simagrées ! Tu ferais mieux de t'en aller. Tout ça, c'est ta faute…

— Qu'est-ce que tu fais ? bredouilla Alixe, dont les yeux pailletés d'or cherchaient à s'ancrer à ceux du jeune Arya.

— Je me sers de mes mains comme de capteurs, pour percevoir la texture du champ magnétique autour de vous, répondit Emrys, imperturbable, en poursuivant son investigation.

Mattéo bondit sur ses pieds et le bouscula.

— Arrête, je t'ai dit ! Fiche le camp ! Tout de suite !

Emrys chancela sous la poussée, mais reprit aussitôt sa position, jambes écartées, devant Mattéo. Son visage n'exprimait rien : ni colère ni animosité, aucun sentiment particulier. Alixe se leva à son tour lentement et se campa, les bras croisés, entre les deux garçons. Aussitôt, les mains d'Emrys séparèrent les bras de la jeune fille et les placèrent le long de son corps, puis elles reprirent leur ballet autour d'elle. Alixe se raidit.

— Je sens comme… comme des petits chocs électriques sur ma peau…, s'étonna-t-elle.

Emrys ne répondit rien et continua à balayer l'air délicatement. Mattéo frissonna. Depuis quelques secondes, lui aussi ressentait des fourmillements sur son épiderme, mais il aurait préféré se faire couper en morceaux plutôt que de l'admettre.

— Votre champ magnétique est très perturbé…, laissa enfin tomber Emrys. Si vous voulez retrouver vos parents, vous devrez vous débarrasser de toute l'énergie négative accumulée en vous. Les Dâsas perçoivent facilement l'énergie négative. Ils détecteront votre présence à plus de cent mètres à la ronde.

— Retrouver nos parents ?! s'écria Alixe, s'animant brusquement. Comment ? Que devons-nous faire ?

— Je crois savoir où les Dâsas ont emmené Arnaud et Mathilde, poursuivit Emrys, sans répondre aux questions d'Alixe. Ils n'ont pas beaucoup de refuges à leur disposition dans les alentours.

— Si tu sais où ils sont, qu'est-ce qu'on fait ici à discuter ?! s'enflamma Mattéo. Il faut prévenir la police. Ils les récupéreront sains et saufs !

— Nous devons les retrouver nous-mêmes, sans l'intervention de quiconque, répondit Emrys, toujours sur le même ton neutre. Si nous mêlons quelqu'un à cette histoire, les Dâsas emmèneront vos parents plus loin encore, et ce sera beaucoup plus compliqué de les localiser par la suite. Faites-moi confiance. Je les connais, je sais comment m'y prendre…

— Eh bien, non, justement, je ne te fais pas confiance ! gronda Mattéo en serrant les poings. C'est à cause de toi si les parents sont dans le pétrin !

— Calme-toi, intervint Alixe en posant une main sur l'épaule de son frère. Je suis d'accord avec Emrys.

— Évidemment !

Les lèvres de Mattéo se crispèrent, et il dodelina de la tête en constatant que sa sœur se rangeait encore une fois à l'avis du jeune Savant.

— Les Dâsas les cacheront dans un endroit inaccessible, ou pire, même ! Es-tu vraiment prêt à courir le risque de…

Alixe n'acheva pas sa phrase, mais Mattéo comprit tout à fait ce qu'elle sous-entendait. Emrys ne leur avait-il pas dit que les Dâsas ne faisaient généralement pas de prisonniers ? À vrai dire, il ne savait que faire. Sa raison lui conseillait d'appeler la police, mais pour dire quoi ? Que leurs parents avaient été enlevés par des gens venus d'une autre époque, issus d'une civilisation disparue depuis des millénaires ? On les prendrait pour des fous, il n'y avait pas de doute. Il avait lui-même du mal à se faire à cette idée, et pourtant il avait vu des Dâsas de ses propres yeux. Il les avait affrontés. Ils existaient, et il ne doutait absolument plus de la menace qu'ils représentaient. Mais c'était plus fort que lui ; il savait que tout ce qu'Emrys avait dit sur le compte des Dâsas était vrai, et pourtant il n'arrivait pas à s'en persuader tout à fait. En réalité, il avait peur. Très peur. Mais, ça, il ne l'avouerait à personne… Pas même à lui-même.

Emrys tourna ses yeux sombres vers le garçon. Lui, il comprenait. Il pouvait aisément percevoir tous les sentiments, toutes les pensées, tous les questionnements, tout le trouble de son ami, mais il n'en laissa rien paraître. Seul le temps pourrait venir à bout des barrières que Mattéo avait dressées entre ce qu'il percevait et ce qu'il était prêt à accepter.

— Écoute, enchaîna Alixe sans réaliser à quel point son frère était perturbé, voilà ce que je propose. Il est dix-huit heures… Donnons-nous jusqu'à demain matin huit heures. Si, à ce moment-là, nous n'avons aucune piste, alors nous préviendrons la police.

— Mais…, protesta mollement Mattéo.

— De toute façon, même si nous prévenons les autorités maintenant, ça ne fera aucune différence. Nos parents sont des adultes. Les policiers attendront probablement vingt-quatre heures avant d'entreprendre des recherches, renchérit Alixe en fixant intensément son jeune frère.

— D'accord…, murmura Mattéo, se rendant compte qu'il n'avait rien de mieux à proposer. Allons-y!

— Une seconde! le retint Emrys. Ton énergie est trop négative, Mattéo. Tu dois absolument te calmer.

— Me calmer ? T'en as de bonnes, toi ! Comment veux-tu que je me calme alors que nos parents ont été kidnappés ? !

— Je vais t'aider, poursuivit Emrys de sa voix douce et posée.

Les mains du jeune Arya glissèrent le long du corps de son ami, sans le toucher, pour dégager son champ énergétique de toutes les mauvaises influences qui en émanaient. Une fois encore, Mattéo frissonna lorsque des picotements coururent sur sa peau.

Cette fois, Emrys lui expliqua ce qu'il était en train de faire.

— De ma main droite, je projette ma propre énergie calme et maîtrisée vers toi, et de l'autre, je la dirige vers les régions perturbées de ton corps. Il faut que tous les déchets énergétiques qui t'enveloppent disparaissent. Ne te raidis pas, ne combats pas ; laisse-toi simplement aller.

— Je n'y parviendrai pas. Je suis trop stressé…, marmonna Mattéo, la voix teintée de désespoir.

— Inspire profondément et tente de faire le vide dans ton esprit. Ton corps ne doit ressentir aucune tension… Tu dois te faire confiance. Tu vas réussir.

Pendant de longues minutes, Emrys laissa ses mains au-dessus de la tête de son ami. Peu à peu, l'énergie négative finit par se glisser hors de lui.

— C'est bien… très bien ! le félicita le jeune Arya.

Puis, se tournant vers Alixe, il enchaîna :

— À partir de maintenant, vous allez devoir faire tout ce que je vous dis, sans discuter, sans vous rebeller… d'accord ?

Alixe opina de la tête. Mattéo, dont le visage ne gardait plus aucune trace de crispation, ne répondit rien. Sa sœur l'encouragea des yeux.

— D'accord ! laissa-t-il tomber, lâchant prise.

— J'essaierai de vous expliquer du mieux possible où nous irons, ce que nous ferons, ce que nous verrons. Peut-être ne comprendrez-vous pas tout ce qui se passera, mais vous devrez me faire confiance… totalement confiance ! insista Emrys.

Alixe et Mattéo hochèrent la tête.

— C'est bien ! On y va…, lança le jeune Arya en se dirigeant vers la porte.

Une fois dans le vestibule, il s'arrêta et fit signe aux deux autres de s'immobiliser derrière lui. Il ouvrit lentement la porte et examina attentivement les alentours. Tout était calme.

D'un geste du doigt, il invita Alixe et Mattéo à le suivre à l'extérieur. Il avait commencé à pleuvoir, une petite pluie du début de printemps, froide et désagréable. Les trois jeunes remontèrent la capuche de leur manteau sur leur tête et s'éloignèrent à grandes enjambées de la résidence des Langevin.

En silence, Emrys à leur tête, ils traversèrent le parc du bout de la rue. Leurs pieds s'enfonçaient dans un mélange de boue et de neige sale qui fondait sous la pluie. Puis, d'un bon pas, ils enfilèrent plusieurs rues et passèrent devant le petit bistro où ils avaient discuté la veille, désert à cette heure.

La pluie continuait de fouetter leur visage, mais aucun d'eux ne s'en préoccupait. Alixe et Mattéo étaient entièrement concentrés sur leur objectif : ne pas se laisser envahir par des émotions négatives, comme le leur avait recommandé Emrys avant de quitter la maison.

Après une dizaine de minutes de marche très rapide, l'Arya se retourna vers ses deux amis qui peinaient à le suivre, tandis que lui-même avançait apparemment sans se fatiguer. Il s'arrêta pour les attendre à l'entrée de la station de métro du quartier.

— On prend le métro ? ! s'exclama Alixe.

— Non mais, ça va pas ? s'emporta Mattéo. C'est n'importe quoi ! Mes parents n'ont pas pu être emmenés de force dans le métro !

Sans répondre, Emrys descendit les quelques marches qui menaient dans les entrailles de la terre. Alixe et Mattéo n'eurent d'autre choix que de l'y suivre, en restant sur leur étonnement.

Une fois la volée de marches descendue, le jeune Arya ne se dirigea pas vers les guichets, mais emprunta plutôt un couloir de service utilisé par les agents du métro. Il s'avança vers une porte de métal grise fermée par une chaîne rouillée et un gros cadenas. Alixe et Mattéo, toujours aussi intrigués, l'y rejoignirent.

— Et maintenant? demanda la jeune fille en fixant le cadenas.

Emrys posa sa main sur la chaîne. Il sentit le métal se ramollir sous l'intense chaleur dégagée par sa paume. Un maillon se rompit. La chaîne et le cadenas, dans un bruit métallique, tombèrent sur le sol carrelé. Mattéo et Alixe sursautèrent et fouillèrent le couloir des yeux: personne.

Emrys ouvrit la porte qui donnait sur un autre passage aux parois de grosses pierres grises baignant dans une douce lumière orangée. Les trois adolescents se glissèrent dans le corridor, et Emrys tira la porte de métal derrière eux.

— Et si quelqu'un s'aperçoit que la porte a été forcée? demanda Mattéo.

— Ne t'inquiète pas. On sera déjà loin.

— Où va-t-on? murmura Alixe en jetant des coups d'œil intrigués sur sa gauche, vers le fond du passage.

— Dans un endroit dont personne, à la surface, ne peut soupçonner l'existence, répondit Emrys. Suivez-moi !

Avec assurance, l'Arya se faufila dans le goulet faiblement éclairé.

— Pouah ! Il y a de l'eau ! bougonna Mattéo qui venait de mettre le pied dans une flaque peu profonde.

L'endroit était totalement silencieux. Trop même, au goût d'Alixe. Elle restait attentive et craintive, sursautant pour rien.

— Attention, soyez plus détendus, leur recommanda encore une fois Emrys. Pas d'énergie négative.

— C'est facile à dire, ça ! marmonna Mattéo. On ne sait même pas où on va…

— T'es sûr qu'il n'y a pas de rats ici ? demanda la jeune fille en fixant ses pieds, craignant de voir apparaître les rongeurs maudits.

— Faites-moi confiance ! dit Emrys. Il n'y a aucun danger. Si quoi que ce soit de menaçant se présente, je vous préviendrai. Pour le moment, vous devez simplement me suivre et rester détendus.

Alixe et Mattéo soupirèrent et lui emboîtèrent le pas. Après une dizaine de minutes de marche, ils constatèrent que les lanternes orangées qui les avaient éclairés à intervalles réguliers étaient désormais placées beaucoup plus loin les unes des autres. Emrys s'arrêta sous l'une d'elles, posa la main sur la pierre grise de la paroi et appuya fermement. Au grand étonnement de ses amis, le mur pivota sur un axe, laissant apparaître un autre passage entièrement plongé dans le noir.

Le jeune Savant s'écarta pour faire passer Alixe et Mattéo devant lui. Comme les deux adolescents hésitaient à franchir le mur, il les poussa légèrement avant de s'engager lui-même dans le passage d'où montait une odeur de terre humide. Une fois qu'Emrys fut de l'autre côté, le mur se referma, les plongeant tous les trois dans la plus complète obscurité. L'Arya porta sa main au cristal qui pendait à son cou; dès qu'il l'eut effleuré, le souterrain s'emplit d'une éblouissante lumière blanche.

— T'aurais pas pu activer ton cristal dans l'autre tunnel? lui reprocha le garçon. J'ai failli tomber dix fois… Les lanternes n'éclairaient rien!

— Il y avait assez de luminosité; pourquoi gaspiller l'énergie de mon cristal? Nous, les Aryas, nous n'avons pas l'habitude de dilapider nos ressources sans raison…

La commissure droite de la lèvre supérieure de Mattéo se souleva dans un rictus plutôt expressif: *Végétariens, écolos et, en plus, grippe-sous. Quel peuple!* songea-t-il.

Une lueur amusée passa dans les yeux d'Emrys qui avait capté sa pensée.

— Où sommes-nous? murmura Alixe en regardant tout autour d'elle.

Les parois du tunnel étaient constituées de briques rongées par l'humidité. Par endroits, certaines étaient branlantes. Quelques joints suintaient, tandis que d'autres disparaissaient sous une couche de moisissure.

— Je n'aime pas cet endroit! bougonna Mattéo.

— Je te rassure, moi non plus! fit Emrys. Les Aryas ont trop de mauvais souvenirs rattachés à la vie souterraine. Les années que nous avons passées dans Agartha n'ont pas toujours été très agréables, croyez-moi!

— Ça fait deux fois que tu mentionnes Agartha… C'est où? s'enquit Alixe en avançant prudemment derrière Emrys, qui s'enfonçait de plus en plus profondément dans le souterrain.

— Hum! fit le jeune Savant en se raclant le fond de la gorge. Pour comprendre ce qu'est Agartha, il faut d'abord connaître la vie que les Aryas ont menée avant d'être obligés de s'y réfugier. Si vous voulez, puisque nous allons être obligés de marcher assez longtemps dans ce conduit et dans d'autres souterrains similaires, je peux vous raconter la suite de l'histoire des Géants, de la guerre qui nous a opposés à eux et de la façon dont nous avons pu retrouver la paix et la prospérité pendant un certain temps.

— C'est une bonne idée ! Le trajet nous semblera moins long, s'écria la jeune fille, enthousiaste.

Mattéo ne répondit rien. Mais en sondant ses pensées, Emrys constata que l'adolescent ne demandait pas mieux que d'être distrait de sa peur.

CHAPITRE 2

— Il fallut plusieurs dizaines d'années aux Géants de la Laurasia pour se préparer à attaquer le Gondwana, commença Emrys tout en poursuivant son chemin à l'intérieur du souterrain.

« Chez les Aryas, le roi Indra espérait toujours que les Namlù'u renonceraient à leurs projets guerriers. Malheureusement, au fil du temps, les Enfants de Mimas avaient acquis trop d'influence sur le peuple et au sein du conseil des Géants. Antée et ses principaux conseillers – Og, Talmaï, Sikhon et Anak – ne parvenaient plus à imposer leurs points de vue, qui reposaient essentiellement sur les relations de bon voisinage et la négociation.

« Pendant de longs mois, en secret, Mimas prépara à la bataille ses troupes de chasseurs-guerriers. Les désaccords se firent de plus en plus nombreux dans les réunions du conseil des Géants. Ne pouvant ramener ses concitoyens à la raison, Anak, dépité, quitta le conseil et La Colline. Avec ceux qui s'opposaient à la guerre, c'est-à-dire presque tous les Anakim, il se réfugia dans des îles qui s'étaient déjà séparées du continent. Ils préféraient prendre le risque de s'isoler de leur peuple plutôt que de renier leurs croyances les plus profondes qui étaient fondées sur la paix et la fraternité entre tous. Cette division des Géants était un signe avant-coureur des disputes qui allaient bientôt empoisonner la vie du peuple namlù'u.

« De loin, les Aryas assistèrent à tous ces bouleversements qui menaçaient la cohésion du peuple des Géants. Ça ne nous concernait pas directement, toutefois nous étions inquiets. Au bout d'un certain temps, le roi Indra dut se résoudre, la mort dans l'âme, à armer les Savants. Les Aryas avaient toujours été un peuple pacifique, mais ils ne pouvaient rester tranquillement sans rien faire, à attendre que les Géants déferlent sur eux et les exterminent. Ils devaient se tenir prêts à se défendre. »

Alixe hocha la tête. Tandis qu'Emrys évoquait cette période très douloureuse de l'histoire de sa civilisation, elle percevait toute sa tristesse. Extérieurement, le jeune Arya ne laissait rien transparaître, mais elle le sentait perturbé intérieurement, comme s'il cherchait à excuser le comportement de son peuple qui, pourtant, n'avait pas été l'agresseur dans ce conflit.

Elle posa une main sur son épaule et exerça une petite pression. Il la regarda dans les yeux. Elle comprit qu'il était reconnaissant de sa compréhension et de son soutien.

Rapidement, il balaya son amertume et retrouva un peu de sérénité. Il avait recommandé à ses amis de ne pas se laisser envahir par des énergies négatives; il devait donner l'exemple en se contrôlant lui-même. Il inspira profondément pour retrouver son calme et poursuivit son récit d'une voix neutre.

« Les rencontres entre nos ambassadeurs et Og et Talmaï, qui représentaient les Namlù'u, commencèrent à s'espacer, jusqu'au jour où les Géants ne vinrent pas à l'audience annuelle. Indra comprit alors qu'il fallait s'attendre au pire, et que ses craintes deviendraient réalité dans un délai rapproché. Il ne se trompait pas. Deux jours seulement après le rendez-vous manqué, des milliers de vimanas et de vailixis lourdement armés envahirent le ciel du Gondwana.

« Au début, les Namlù'u se contentèrent de démonstrations de force, s'en prenant surtout à nos postes de surveillance automatisés, en prenant garde de ne pas faire de victimes.

« Puis, un jour, Og et Talmaï demandèrent enfin à voir Indra. Le roi des Aryas convoqua son conseil pour déterminer le lieu le plus approprié pour cette rencontre officielle. Jusqu'à ce jour, les ambassadeurs aryas et namlù'u se voyaient dans la forêt, là où les Géants avaient atterri lors de leur première visite, car l'ancienne cité de Khass avait été détruite par un tremblement de terre. Les contacts demeuraient courtois entre les deux peuples, mais chacun veillait à garder ses distances.

— Si nous permettons aux Namlù'u d'entrer dans notre capitale, Shamballa, pour te rencontrer en tête-à-tête, nous ne ferons qu'exciter leur convoitise, avertit Vijay, le général, qui agissait aussi comme gouverneur de la cité. »

— Bizarre ! Il me semble que tu avais dit que vous étiez plutôt nomades, intervint Mattéo.

— Hum ! J'ai dit que dans les Premiers Temps, la plupart des Aryas étaient nomades, mais, comme les Géants, au fil des années, nous avons fini par construire des cités. Et comme les Namlù'u, nous avons constaté que le Gondwana et la Laurasia étaient condamnés à se séparer, et que nous ne pouvions rien empêcher. Les Enfants des Étoiles ont donc préféré se regrouper à certains endroits. Ces campements ont fini par devenir permanents. Puis, nous avons construit une capitale magnifique, Shamballa, où Indra et le conseil se sont établis. N'oublie pas que tout cela ne s'est pas fait rapidement. Il a fallu des centaines d'années avant que nous abandonnions notre mode de vie nomade.

Ils étaient arrivés à un embranchement de trois tunnels souterrains. Emrys s'engagea sans hésiter dans celui de droite. Son cristal éclairait les lieux comme en plein jour, ce qui était fort heureux, car les couloirs étaient étroits, et leurs murs, couverts d'aspérités sur lesquelles il était facile de se blesser si l'on n'y prenait garde.

— Tu sais où tu vas ! dit Alixe.

C'était plus une constatation qu'une question.

— Oui, j'ai déjà emprunté ces galeries à plusieurs reprises. À l'embranchement, si nous avions continué tout droit, nous serions arrivés au terrain de stationnement où ton père et toi m'avez découvert. Votre ville, comme beaucoup d'autres aux quatre coins du monde, est percée de multiples passages dont vous ignorez tout.

— Qui les a creusés ? le questionna Mattéo.

— Les Aryas, les Dâsas… et votre propre peuple. Nous, c'était il y a longtemps, pour circuler en toute sécurité ; et vous, plus récemment, pour construire les égouts, les tunnels de service des entreprises d'eau, d'électricité ou du métro, et le métro lui-même…

— Pourquoi aviez-vous besoin de circuler sous terre ? s'étonna Alixe. Il me semble que ç'aurait été plus simple de tracer des routes en surface… surtout que vous deviez disposer de la technologie nécessaire, non ?

— Je vous expliquerai cela plus tard, répondit Emrys. C'est lié à Agartha, ajouta-t-il devant la moue d'Alixe. Pour bien comprendre, il faut que vous ayez une vue d'ensemble de toute notre histoire. Je ne veux pas sauter d'étapes. Donc, je continue avec les Namlù'u.

« Agni, le grand prêtre arya, proposa de rencontrer les Géants dans un endroit aride, sec et pierreux, mais facile à surveiller.

— Le Grand Désert est le lieu qui convient, insista Agni. Il est entouré d'une double enceinte de montagnes enneigées. On y trouve de vastes plaines et de grandes dunes de sable ou de pierres.

— Le jour, il fait très chaud dans le Grand Désert, commenta Samyou, le responsable de la prospérité arya. Des vents puissants le balaient régulièrement. Mais la nuit y est glaciale… Tu as raison, les Géants n'aimeront pas du tout cette terre inhospitalière dont nous-mêmes n'avons jamais rien pu tirer. Elle ne risque pas d'exciter leur convoitise.

— Ce qui m'inquiète, c'est que le Grand Désert se situe aux portes de Shamballa, répondit Indra.

— Il n'y a pas de souci à se faire. Notre capitale est hors de vue pour quelqu'un qui chemine dans le Grand Désert, intervint Vijay. Par contre, Shamballa sera assez près pour que nous puissions utiliser nos armes à distance, si cela devient nécessaire, et sans envoyer un seul d'entre nous au combat.

« Le conseil dura longtemps, mais faute de trouver un meilleur endroit, Indra accepta de rencontrer Og et Talmaï dans le Grand Désert.

« Des vailixis pilotés par des Veilleurs aryas escortèrent la navette des ambassadeurs namlù'u jusqu'au lieu désigné pour l'audience. Le fuselage des vaisseaux spatiaux dessinait des traits argentés dans le ciel bleu vif. Les rayons du soleil donnaient à la vaste étendue de pierres et de sable qu'ils survolaient des nuances variant de l'ocre à l'or. En procédure d'approche, les vailixis des Géants planèrent aussi au-dessus d'immenses prairies flamboyantes où s'ébattaient en toute liberté des animaux inconnus des Géants.

« Og et Talmaï furent éblouis par tant de beauté. Le sud de la Laurasia était magnifique, mais le Gondwana leur paraissait être un endroit encore plus merveilleux. En convoquant les Géants dans le Grand Désert, le conseil arya avait commis une grave erreur. En fait, Indra ne pouvait imaginer que cette terre, qui semblait si ingrate aux Aryas, serait perçue par les Namlù'u comme un paradis.»

— L'herbe est toujours plus verte dans le jardin du voisin, commenta Alixe.

Emrys opina de la tête.

« Og et Talmaï firent part à Indra et au conseil arya des demandes, excessives il faut le préciser, des Namlù'u.

— Le conseil des Géants vous propose un échange de territoires, déclara Og dès qu'il fut installé sous l'une des grandes tentes blanches en forme de dôme qu'Indra avait fait installer dans le Grand Désert.

« Plusieurs pavillons constitués d'armatures de bois, sur lesquelles étaient tendues des peaux de chameaux tannées, avaient été montés rapidement sur les lieux. C'était une installation rudimentaire, sans confort, mais adaptée à ce terrain hostile et aux ressources limitées. Les Aryas n'avaient jamais bâti de cité ni de poste de surveillance dans cet endroit qu'ils jugeaient inhabitable.

— Vous voulez venir vivre dans ce Grand Désert et nous céder La Colline ? demanda Indra, jouant l'étonné, mais surtout se moquant des ambassadeurs. Voilà une proposition très étrange.

— Non. Vous ne comprenez pas, expliqua le prudent Talmaï, mal à l'aise d'avoir à transmettre un message qu'il considérait honteux. Notre conseil ne vous laisse pas le choix.

Les Aryas doivent quitter le Gondwana. Nous vous offrons de vous installer dans le nord de la Laurasia, dans… dans l'ancienne Thulé, acheva-t-il dans un murmure presque inaudible.

« Indra, qui perdait rarement son calme, sentit la colère l'envahir. En exilant les Savants à Thulé, c'était tout simplement leur extinction que visait le conseil des Géants.

— Et si nous refusons cette… hum, cette offre généreuse, ironisa le roi, qu'envisagez-vous en guise de représailles ?

— Le conseil s'attendait à une telle réponse, soupira Og. Écoutez, cela fait longtemps que Talmaï et moi-même rendons visite à votre peuple. Nous avons appris à respecter les Aryas et à vous faire confiance, roi Indra. Vous le savez, les Namlù'u, tout comme vous, se sont toujours opposés à la violence. Mais, malheureusement, notre bon roi Antée a perdu tout pouvoir au conseil. Les chasseurs-guerriers sont devenus très puissants. Ils parlent de remplacer Antée par Mimas à la tête du royaume.

— Et ils ont inventé de nouvelles armes à énergie dirigée qui ont un pouvoir de destruction que vous ne pouvez même pas imaginer, révéla Talmaï, qui semblait à la fois nerveux et effrayé. Les Anakim ont préféré déserter. Les Géants fidèles à Antée ont peur et craignent pour leur propre survie.

— Nous ne sommes pas venus pour vous menacer, mais bien pour vous prévenir, ajouta Og. Acceptez de partir pour Thulé. Mimas s'est engagé à vous laisser la vie sauve si vous nous livrez le Gondwana.

— Combien de temps croyez-vous que nous pourrions tenir à Thulé? demanda Indra, révolté. Vous êtes des Géants. Vous avez une meilleure constitution physique que nous. Votre sang bleu vous a permis de vivre longtemps dans cette région de brume, et pourtant vous avez abandonné le nord de la Laurasia, depuis que les conditions de vie y sont devenues trop difficiles. Regardez-nous. Nous n'avons pas les capacités physiques nécessaires pour résister aux basses températures qui règnent là-bas.

— Vous êtes des scientifiques, vous trouverez sûrement un moyen de vous adapter, intervint mollement Talmaï, qui ne croyait pas lui-même à ses propos.

« En vérité, il ne faisait que répéter ce que Sippai, le chasseur-guerrier, avait avancé au conseil des Géants pour appuyer la décision de Mimas. Et Indra le sentait même gêné de devoir transmettre de telles paroles fausses et trompeuses. Évidemment, Indra refusa la proposition des Géants.

« Dès l'audience terminée, les Veilleurs raccompagnèrent les ambassadeurs namlù'u jusqu'à la frontière. Un vailixi ramena rapidement Indra à Shamballa. Le conseil s'était réuni et attendait impatiemment le compte rendu de la rencontre dans le Grand Désert.

— Ce qui m'étonne le plus, déclara Indra, ce n'est pas tant que les Enfants de Mimas cherchent à nous effrayer par des menaces, mais plutôt qu'ils ne paraissent pas conscients de notre force. Og affirme qu'ils ont créé de nouvelles armes, mais les Géants semblent ignorer que nous connaissons l'énergie dirigée depuis fort longtemps. Leurs Explorateurs ne sont pas très efficaces.

— Peut-être est-ce simplement du bluff ? suggéra le grand prêtre Agni. Ils ont appris que nous connaissions cette technologie et tentent de nous faire croire qu'ils la possèdent également et peuvent s'en servir contre nous. Ce n'est ni plus ni moins que de l'intimidation.

— Nous disposons de toute une panoplie de moyens d'intervention et de dissuasion, affirma pour sa part le général Vijay. Nous maîtrisons suffisamment les techniques de l'énergie dirigée pour repousser leurs attaques... et même y répondre de la même manière.

— Attendons, mais restons sur nos gardes ! conclut Indra. Nous ne serons pas les agresseurs, mais si les Namlù'u nous cherchent, eh bien, ils vont nous trouver ! »

CHAPITRE 3

Mattéo et Alixe suivaient Emrys à environ deux mètres. Après avoir bifurqué dans un nouveau couloir, l'Arya, sans prévenir, frôla son cristal. La lumière blanche s'éteignit aussitôt, les plongeant tous trois dans le noir absolu.

— Hé! protesta Mattéo, on n'y voit plus rien! Aïe! T'es malade?!

— Qu'est-ce qui se passe? demanda Alixe, tout juste derrière lui, qui venait de lui rentrer dans le dos.

— Je me suis cogné la tête, beugla Mattéo. Il veut nous tuer, l'animal!

Devant ses yeux clignotaient des milliers de points lumineux.

— Je vois trente-six chandelles, ajouta-t-il, avec un brin d'anxiété dans la voix.

— Mais non, Mattéo, regarde! C'est incroyable, s'extasia Alixe.

Au-dessus d'eux s'étendait une voûte parsemée de petites étoiles bleu-vert. Des milliers de minuscules lumières se réfléchissaient sur les eaux d'un ruisseau souterrain qui serpentait à leurs pieds. Elles projetaient suffisamment de luminosité pour éclairer la salle circulaire dans laquelle ils venaient d'entrer. Émerveillés, le frère et la sœur s'approchèrent lentement de ce rideau de perles suspendues en chapelet le long de fils de soie.

Alixe approcha la main, mais, d'un geste rapide, Emrys l'arrêta.

— Il ne faut pas toucher… c'est très toxique, murmura-t-il. Ça t'infligerait une brûlure que tu n'oublierais jamais.

— Qu'est-ce que c'est ? fit Mattéo.

Aussitôt, réagissant au son de sa voix, plusieurs lumières s'éteignirent.

— Chut ! Ne parle pas si fort, répondit Emrys très bas. C'est un genre de vers luisants. Ils attirent des petites mouches et d'autres insectes par la lumière qu'ils émettent. Une fois leur proie empêtrée dans les fils gluants, ils peuvent se régaler. Ils éteignent leurs lumières lorsqu'ils se sentent menacés. Comme tout est plutôt silencieux ici, à part les bruits lointains de l'eau ou, de temps en temps, le craquement d'une roche, ils réagissent à la voix comme à une menace.

— C'est magnifique ! chuchota Alixe.

— La vie sous terre cache d'innombrables mystères et de surprenantes beautés, répondit Emrys en poursuivant sa route.

Mattéo et Alixe le suivirent, contournant les fils gluants qui tombaient du plafond comme de fines stalactites et se retournant plusieurs fois pour s'emplir les yeux de ce fascinant spectacle lumineux.

Une fois qu'ils se furent suffisamment éloignés pour que les lumières des vers luisants ne puissent plus éclairer le souterrain, Emrys réactiva son cristal. La transition entre la pénombre bleutée qu'ils venaient de quitter et la franche lumière blanche leur fit cligner des yeux.

— La prochaine fois, préviens-nous quand même d'avance quand tu éteindras ton cristal, fit Mattéo en constatant, du bout des doigts, que son front saignait légèrement.

— Désolé ! s'excusa Emrys. J'ai d'autres merveilles à vous montrer. Je tâcherai de m'en souvenir la prochaine fois. D'habitude, je suis seul quand je passe par les souterrains ; j'ai réagi par réflexe, excuse-moi !

— OK, ça va. Ça en valait le coup, c'était très beau !

En file indienne, ils poursuivirent leur route. Alixe regarda sa montre. Presque vingt heures. Ils erraient sous terre depuis bientôt deux heures. Elle n'avait pas vu le temps passer.

— Vous savez, la vie sous terre n'est pas seulement réservée aux rongeurs, aux vers et aux insectes, précisa Emrys. On peut y trouver des choses insoupçonnées : des laboratoires d'un autre siècle, des sanctuaires, des abris de guerre, des champignonnières, des tombeaux, et des armées de crânes et de squelettes… On peut même y croiser des adeptes de certaines sectes ou tout simplement des curieux, qu'on appelle des cataphiles*, qui aiment venir explorer ce monde étrange. Et, malheureusement, c'est aussi l'endroit préféré des Dâsas…

— Ah, je le savais ! s'exclama Mattéo, dégoûté. J'ai toujours trouvé que Max Ankel avait une tête de taupe.

Alixe le regarda avec un air éberlué. Il enchaîna :

— Quoi ?! Avec ses yeux de fouine et son comportement de blaireau…

— Ha ! Ha ! Tu fais le malin maintenant, mais tu ne lui aurais sûrement pas dit ça entre quatre yeux…, le taquina sa sœur.

Mattéo haussa les épaules et accéléra le pas pour rattraper Emrys, qui avait pris quelques mètres d'avance sur eux. Courageux, mais pas téméraire, il ne voulait pas perdre de vue le jeune Arya, et surtout la lumière émanant du cristal.

Tout à coup, Mattéo tendit l'oreille. Il lui avait semblé entendre, derrière eux, une sorte de craquement sourd. Il se garda d'exprimer cette impression, car il craignait qu'Emrys et Alixe se moquent encore de lui. Malgré tout, il demeura concentré sur les petits sons qu'il percevait, tentant de les isoler pour les identifier. Là, il reconnut le «ploc» caractéristique d'une goutte d'eau; ici, le choc d'un petit caillou projeté sur les parois par leurs pieds; plus loin, le bruit du souffle du vent se faufilant par certaines fissures... Mais ce craquement, comme un son de cassure, il n'arriva pas à déterminer d'où il venait.

Mattéo ne s'était pas rendu compte que l'esprit d'Emrys également était à l'affût. Celui-ci avait capté le trouble de son ami. Du coup, lui aussi s'était mis à analyser les divers sons qui leur parvenaient. Soudain, il cria:

— Vite! Courez! Courez! Vite!

Il poussa Mattéo et Alixe dans le dos pour les forcer à s'activer. Ceux-ci réagirent sans comprendre ce qui se passait. Ils accélérèrent, sans pour autant se mettre à courir comme le leur ordonnait Emrys. Ce fut lorsque le premier rocher explosa à l'endroit où ils se tenaient une seconde plus tôt qu'ils se projetèrent vers l'avant de toutes leurs forces. La peur les transportait, alors que la grosse pierre grise des parois, tout autour d'eux, éclatait en morceaux tranchants.

Arrivés à un embranchement, Emrys les poussa sur la gauche et éteignit son cristal.

— Hé! je t'avais dit…, protesta Mattéo, essoufflé et la voix chevrotante de peur.

— Chut! fit Emrys. Les Dâsas!

Il leva la main et, dans les airs, traça des arabesques destinées à les envelopper d'un manteau de protection invisible. Le frère et la sœur s'agrippèrent par la main et se tassèrent contre la paroi. Emrys leur fit signe de ne pas prononcer un mot, de ne pas laisser un souffle trahir leur présence.

Ils n'entendirent pas Nisha et Vitra courir dans le souterrain qu'ils venaient de quitter, mais ils savaient qu'ils étaient là, tout près, et qu'ils les cherchaient. Alixe sentit la chair de poule envahir son corps tout entier. Mattéo serra plus fort sa main. Plongés dans le noir, ils n'avaient aucune idée de ce qui se passait. Emrys posa une main sur l'épaule de chacun d'eux pour leur communiquer un peu de son propre calme. Mais lorsque les yeux de chats des Dâsas brillèrent à moins d'un mètre de leur fragile cachette, la terreur les submergea. Les lueurs vertes perçaient l'obscurité comme des rayons laser, fouillant la moindre cavité. La barrière protectrice dressée par Emrys suffisait pour le moment à repousser la lumière et à les dissimuler. Mais le jeune Arya était conscient qu'il ne pouvait maintenir ce champ de force indéfiniment. Inévitablement, l'énergie qu'il déployait pour le maintenir s'amoindrirait et ils seraient découverts. Son seul espoir résidait dans la trop grande confiance que les Dâsas avaient en leurs propres capacités de nyctalopes. Il espérait qu'ils se fieraient plus à ce qu'ils voyaient ou, dans le cas présent, ne voyaient pas, qu'à leurs autres sens, particulièrement leurs capacités de perception extrasensorielle. Dans la bulle de protection qu'il avait créée, les trois jeunes gens étaient à l'abri des tentatives des Dâsas pour percevoir leurs pensées. Ils seraient indétectables pendant un certain temps.

Les Dâsas parcoururent le souterrain sur quelques mètres, puis revinrent sur leurs pas. Ils semblèrent se concerter en silence, par transmission de pensées. Finalement, de la main, Vitra désigna une cavité qui s'ouvrait tout juste à côté de celle où les adolescents avaient trouvé refuge. Nisha et lui s'y engagèrent rapidement, sans doute convaincus d'avoir perdu la trace de leurs proies.

Emrys maintint la barrière protectrice pendant quelques secondes après leur départ, puis se détendit enfin. Il ralluma son cristal, mais, en le touchant une seconde fois, il en atténua la luminosité.

— Ils vont s'apercevoir qu'on n'est pas passés par ce tunnel, fit Alixe, très inquiète, en désignant le couloir où les Dâsas venaient de s'engouffrer.

— Et ils vont rebrousser chemin, compléta Mattéo, tout tremblant.

— Oui, vous avez raison. Nous allons faire un détour, répondit Emrys, contrarié.

— Tu as l'air plus préoccupé que tu ne le laisses paraître, ajouta Alixe. Il y a autre chose?

— J'espérais pouvoir rejoindre la Salle du Cristal pour recharger le mien au maximum. Malheureusement, pour s'y rendre, il faut prendre le souterrain que viennent d'emprunter Vitra et Nisha.

— Recharger ton cristal? s'exclama Mattéo. Tu vas faire le plein d'énergie? Comme dans une station-service?

— Hum! Je ne dirais pas ça comme ça, mais oui… J'ai besoin de plus d'énergie, répondit Emrys en souriant.

— T'aurais pas pu y penser avant?! éclata Mattéo, à la grande surprise de sa sœur. Avant… de nous entraîner là-dedans?! Il est pas possible, ce gars! C'est comme partir pour un long voyage sans mettre d'essence dans le réservoir de la voiture!

Mattéo était furieux. Alixe lui fit signe de baisser le ton, mais il vociféra de plus belle.

— Il nous entraîne dans son aventure sans vérifier le niveau du réservoir! Espèce de… de-de-de… débile!

— Calme-toi ! intervint Alixe. Ça ne sert à rien de s'énerver comme ça. Tu vas nous faire repérer.

— Et on fait quoi maintenant, hein ? On continue à suivre ce malade ? On ne sait même pas si c'est vrai, toutes ces conneries… Il nous raconte n'importe quoi, et nous, on gobe tout comme des poissons !

Des lèvres, Mattéo mima la respiration d'un poisson, puis, n'y tenant plus, il fondit en larmes. Il était mort de peur. Sa crise n'était qu'une manifestation de toute la tension qui s'accumulait en lui depuis des heures.

Alixe tenta de le rassurer du mieux possible, en le serrant contre elle et en lui murmurant des mots apaisants. En l'absence de leurs parents, son rôle d'aînée revêtait une importance tout à fait capitale auprès de son petit frère. Peu à peu, le rythme de la respiration de Mattéo ralentit, et il cessa de sangloter. D'un geste gêné, il essuya ses yeux et renifla.

— Il faut partir, déclara Emrys en se détournant.

Mattéo restait une énigme pour lui. Un instant, son ami était blagueur, ironique, mordant et, l'instant d'après, il se révélait aussi fragile qu'un enfant de quatre ans. Il était continuellement à fleur de peau, en équilibre instable.

Le jeune Arya cernait mieux Alixe. Elle avait un caractère plus solide et réussissait mieux à contrôler sa peur. Elle jouait son rôle de grande sœur avec beaucoup d'aplomb, même s'il devinait en elle des sentiments contradictoires. Heureusement, la crainte ne paralysait ni l'un ni l'autre. Leur réaction devant le danger était tout simplement différente. Mattéo se montrait plus agressif qu'Alixe. La jeune fille, pour sa part, tentait de faire appel au raisonnement, à l'analyse, sans pour autant bloquer ses émotions. Il songea que c'était intéressant de pouvoir ainsi observer deux façons bien distinctes de se comporter devant un même événement.

Les Aryas et les Dâsas n'étaient pas dépourvus de sentiments, mais au fil des siècles ils avaient appris à les maîtriser, à un point tel qu'un observateur aurait pu croire qu'ils n'en possédaient aucun. En côtoyant les Langevin, Emrys s'était vite rendu compte qu'il n'était pas un être dépourvu d'émotions. Il avait d'abord éprouvé de la reconnaissance pour la famille, puis de l'amitié pour les deux enfants, de l'attirance envers Alixe; de l'amour, presque filial même, pour les parents, et aussi de la compassion, et maintenant de la crainte, car il se sentait responsable de leur enlèvement.

Il espérait que rien de fâcheux ne leur était arrivé. Malgré toute sa science et les nombreuses facultés qu'il possédait, il n'était pas parvenu à savoir s'ils étaient sains et saufs. Au petit jeu de l'utilisation des capacités paranormales, les Dâsas étaient des maîtres. Au fil des millénaires, en s'humanisant, les Aryas avaient oublié comment se servir de certaines connaissances devenues inutiles pour leur survie et leurs besoins. Au contraire, les Dâsas, eux, les avaient gardées intactes, et les avaient même renforcées et raffinées. Certains savoirs avaient été détournés et avaient fini par les doter d'armes redoutables, beaucoup plus dangereuses que celles des Aryas, et dont ils pouvaient difficilement se protéger. C'était la raison pour laquelle Emrys n'était lui-même pas très rassuré lorsque leur petit groupe se remit en marche, dans un tunnel rempli de toiles d'araignées d'une taille impressionnante.

— On dirait que personne n'est passé par ici depuis des années, fit Alixe en repoussant les fils de soie qui collaient à son visage.

Emrys se retourna pour la regarder. Elle repoussait les toiles avec dédain, tentant de cacher le soupçon de crainte qu'elles lui inspiraient. Il lui sourit pour l'encourager et lui faire comprendre qu'elle et son frère étaient en sécurité.

— Tu as raison, répondit-il. Ce n'est pas un passage très fréquenté, car il s'écarte quelque peu de la Salle du Cristal…

Délicatement, il retira quelques fils de la chevelure d'Alixe, et leurs regards s'accrochèrent l'un à l'autre. La jeune fille sentit son cœur s'emballer lorsque, une fois encore, il effleura ses lèvres, virtuellement. Une bouffée de chaleur lui monta au visage et elle rougit.

Mattéo, sans bien comprendre ce qui se passait, perçut néanmoins un échange silencieux entre Alixe et Emrys. Se sentant encore une fois exclu de leur duo, il laissa tomber d'une voix blanche :

— Ouin, j'espère que tu sais où tu vas, l'escargot !

— L'escargot ? s'exclamèrent en chœur Alixe et Emrys, éberlués, en se détachant l'un de l'autre.

— Hé... c'est toi qui as dit que tu étais hermaphrodite... Comme les escargots !

Alixe tourna un regard inquiet et ébahi vers le jeune Arya. Elle avait oublié ce « détail » de sa biologie.

Emrys éclata de rire.

— Ah ! J'ai dit qu'autrefois les Géants et les Aryas étaient hermaphrodites. Autrefois ! Plus maintenant ! Ça fait des millénaires que nous nous sommes adaptés pour survivre et que les deux sexes se sont différenciés. Je suis un garçon, tout ce qu'il y a de plus garçon, ajouta-t-il en fixant Alixe droit dans les yeux.

Elle détourna le regard en rougissant de plus belle.

CHAPITRE 4

Le trio avait repris sa marche depuis un peu plus d'une trentaine de minutes lorsque Emrys força les deux autres à s'arrêter une fois encore. Il n'avait cessé d'épier le moindre son qui hantait les tunnels. Alixe et Mattéo avaient, à plusieurs reprises, manifesté leur étonnement. Le monde souterrain n'était pas silencieux, contrairement à ce qu'ils auraient cru. On y discernait des bruits d'eau, de roches qui craquaient, d'animaux, du vent qui entrait par le moindre interstice, et parfois des sons émanant de la surface, par les égouts ou par les conduits d'électricité, du métro, des voies rapides souterraines. Le silence bruissait.

— On est où ? chuchota Alixe.

— Au-dessus de nos têtes, c'est votre Musée des civilisations antiques, murmura Emryo.

— Pourquoi on s'arrête ? s'enquit Mattéo.

— Dans le musée, il existe une entrée discrète que les cataphiles aiment bien utiliser pour se faufiler sous terre. Un peu plus loin, il y a une vingtaine d'années, des archéologues ont découvert des catacombes ornées de gravures représentant des figures humaines, des oiseaux et des animaux. Des étudiants aiment s'y réunir. Je ne tiens pas à ce qu'ils nous voient. Ils ne pourraient que nous ralentir par leur suspicion et leurs questions. J'écoute pour déterminer si les lieux sont occupés.

— Et…? fit Alixe, curieuse.

— Le chemin est libre. Dépêchons-nous…

Ils poursuivirent leur marche pour arriver, comme l'Arya l'avait dit, dans une grande cavité naturelle dont les parois étaient ornées de figures en relief et d'autres en creux. Beaucoup étaient peintes de couleurs indélébiles.

— Ça date de quand? demanda Alixe en passant sa main sur les représentations.

— Plusieurs millénaires, déclara Emrys. La plupart des passages d'Agartha étaient décorés. Sous terre, disons que les loisirs étaient quelque peu limités… Beaucoup d'Aryas et de Géants, pris de nostalgie, ont entrepris de représenter les animaux qu'ils avaient bien connus en Laurasia ou au Gondwana.

— Vas-tu finir par nous en dire plus sur Agartha? le pressa Mattéo. Tu mentionnes souvent ce nom, mais nous ne savons pas du tout ce que c'est…

— Tu as raison, je suis désolé. Pour comprendre Agartha, il faut que je vous raconte comment les choses ont évolué entre les Géants et les Aryas des Premiers Temps.

— Bon, eh bien, raconte ! On n'a que ça à faire, t'écouter ! répliqua Mattéo sur un ton bourru.

L'adolescent pensait sans cesse à ses parents. Il tremblait de peur pour eux. Leur périple sous terre lui paraissait terriblement long, et son angoisse croissait à chaque pas. Mattéo était prêt à entendre n'importe quel récit, même le plus invraisemblable, pour garder son esprit occupé et l'empêcher d'imaginer le pire pour Arnaud et Mathilde.

— D'accord, mais continuons à avancer, reprit Emrys en s'éloignant par un passage quittant la cavité. Les étudiants vont sûrement arriver bientôt.

Ses deux amis sur les talons, le jeune Arya se glissa dans un nouveau couloir, tout aussi sombre et humide que les précédents. Par endroits, ils aperçurent, accrochées à la paroi, des torches qui attendaient d'être enflammées. Les étudiants cataphiles avaient découvert certaines voies et n'hésitaient pas à circuler sous terre sur plusieurs kilomètres pour satisfaire leur curiosité. Mais ce ne fut pas par ce chemin presque balisé qu'Emrys les entraîna. Il emprunta d'autres galeries, inconnues des étudiants, et qui se dissimulaient derrière des murs dérobés pivotants.

Lorsqu'il fut assuré que sa voix ne porterait pas jusqu'à la cavité ornementée, il reprit son récit.

— Après le refus d'Indra de quitter le Gondwana, les Aryas savaient que la confrontation serait inévitable. Pourtant, pendant quelques mois encore, les Géants restèrent tranquilles. Les Aryas profitèrent donc de ce répit pour renforcer les défenses de Shamballa.

« Shamballa était une merveilleuse cité située entre deux hautes montagnes, dans une vallée verdoyante et grouillante de vie sauvage. Tout autour coulait une paisible rivière. Il faisait bon vivre dans la grande ville arya. De longues artères la traversaient en ligne droite, du nord au sud, et de plus petites rues les coupaient d'est en ouest, afin de mieux délimiter les quartiers d'habitation. Toutes nos maisons étaient construites en verre transparent… »

— Ouch! Pas très pratique pour protéger son intimité, ça! laissa échapper Mattéo. Hi! Hi! Hi! Toi qui es si pudique, Alixe, te vois-tu en train de te déshabiller dans une pièce aux murs de verre? Ha! Ha! Ha!

Alixe lui décocha une œillade furieuse, tout en sentant ses joues s'empourprer sous le regard à la fois sombre et lumineux d'Emrys.

— C'est pas drôle! gronda-t-elle à l'intention des deux garçons.

— Les murs étaient vraiment faits de verre, mais chacun pouvait les habiller à son goût à l'intérieur, ce qui les rendait parfaitement opaques, précisa Emrys. Des hologrammes pouvaient être programmés pour afficher, de manière aléatoire ou fixe, les paysages préférés des occupants. Pour ma part, j'avais choisi d'habiller les revêtements de ma résidence avec des paysages côtiers : plage, mer et cocotiers…

« Nos toits étaient surmontés de panneaux solaires ou de jardins fleuris. Cela permettait d'assurer une température constante dans nos foyers, peu importe la saison. Au centre de la cité, sur une colline, on trouvait des bâtiments administratifs et la citadelle du conseil, abritant les appartements royaux et ceux des conseillers. Chaque résidence disposait de bains, de toilettes privées et d'un système d'égouts.

« Dans chaque quartier, il y avait aussi des plans d'eau appelés Grands Bains, des établissements publics qui servaient à collecter l'eau de pluie pour la redistribuer dans chaque résidence. On pouvait également se servir des Grands Bains pour certaines cérémonies ou en cas de problème avec nos bains résidentiels. Les magasins étaient alignés le long des artères nord-sud.

« Tous les déchets étaient stockés dans un endroit, en dehors de Shamballa, avant d'être recyclés. Nous utilisions surtout le cuir, les coquillages, le bois et le verre. Aucun Arya n'était au service d'un autre. Nous ne possédions rien en propre. Les objets et les ressources étaient mis en commun pour le plus grand bien de tous. Tous les habitants du Gondwana, et en particulier de Shamballa, étaient libres d'exercer ou non une activité. Plusieurs le faisaient, car l'inactivité mène à l'ennui. Seuls les membres du conseil avaient des tâches précises à accomplir pour le bien de la collectivité. »

— L'oisiveté est la mère de tous les vices ! murmura Alixe, puisant dans ses souvenirs de ses cours de latin.

— Des Hommes-Machines, que vous appelez robots, pouvaient s'occuper entièrement de la gestion de la ville au quotidien, enchaîna Emrys. Que ce soit pour s'occuper de planter ou de récolter les végétaux, de vérifier les stocks de marchandises, d'approvisionner les marchés et les magasins, de nettoyer les égouts et les rues, d'entretenir les systèmes de distribution d'eau et d'énergie ; tout était mécanisé. C'est pour cela que de nombreux historiens, qui ont par la suite discouru sur notre civilisation, l'ont désignée sous le nom de l'Âge d'or. Personne n'avait à travailler pour assurer sa survie. Les fruits et les légumes étaient cultivés par des machines et redistribués gratuitement dans les magasins, de façon équitable. Chaque Arya avait droit à la même quantité d'eau et de nourriture que son voisin. Nous menions une vie libre et sans souci. Tout était conçu de manière à nous éviter les peines, les fatigues et les tracasseries. »

— Là, tu m'intéresses ! s'exclama Mattéo. Ne rien faire… se la couler douce toute la journée. Le Rêve, avec un grand R !

— Paresseux ! pouffa Alixe.

— La seule loi qui était imposée était l'honnêteté et la bonne foi, poursuivit Emrys en tournant à droite dans un goulet un peu plus sombre et étroit que les précédents.

Cette fois, leur tête frôlait le plafond de la galerie, et ils durent ralentir le pas pour éviter de se blesser sur les aspérités dont il était hérissé. Le silence était aussi devenu un peu plus profond. Les échos du monde extérieur ne leur parvenaient plus. Ils s'étaient enfoncés très loin dans les entrailles de la terre. Pour tenir l'esprit de ses amis occupé, Emrys poursuivit sa description des beautés de Shamballa.

— Personne ne menaçait son voisin. Shamballa n'avait ni policiers ni soldats pour assurer la tranquillité de ses rues. Elle n'avait pas besoin de fortifications ni d'aucun autre système défensif.

— Eh bien, votre général Vijay était vraiment payé à ne rien faire! ironisa encore Mattéo en se courbant pour passer sous un gros rocher suintant.

— Vijay veillait surtout au bien-être des Explorateurs et des Veilleurs, continua Emrys. Il avait été choisi pour s'occuper des Hommes-Machines qui œuvraient dans les postes avancés, comme Khass. Il était un membre influent du conseil et avait des responsabilités importantes.

« Ainsi, après la rencontre entre Og, Talmaï et Indra dans le Grand Désert, les Aryas comprirent que les Géants n'abandonneraient pas leurs prétentions sur le Gondwana. Ils allaient sûrement se préparer à la guerre. Le général Vijay décida de maintenir La Colline sous étroite surveillance, même si, dans la capitale des Namlù'u, les habitants vaquaient tranquillement à leurs occupations. Tout semblait calme. Mais les Aryas se méfiaient. Et ils avaient bien raison. Un jour, un Explorateur, de retour d'une mission d'espionnage en Laurasia, rapporta un fait inquiétant.

— Tous les Anakim ont quitté La Colline. Anak les a emmenés dans des îles au large de la Laurasia. Il parle de fonder une nouvelle civilisation…

— Le roi Antée l'a laissé faire? l'interrogea Vijay, éberlué.

« L'étonnement du général était sincère. Les Namlù'u, comme les Aryas, avaient été de tout temps totalement dévoués et soumis à leur roi. Les décisions pouvaient être discutées, mais une fois que le roi avait pris position, tout le peuple se rangeait à son avis sans protester.

« Qu'Anak puisse ainsi emmener une partie de son peuple était un acte de rébellion presque inconcevable aux yeux de Vijay. Les Aryas avaient compris que la civilisation des Géants était en train de vivre de grands chambardements, mais c'était encore difficile à croire.

— La royauté d'Antée ne tient plus qu'à un fil, répondit l'espion. Mimas a beaucoup plus d'influence. Les chasseurs-guerriers sont tous derrière lui, et leur férocité effraie les Namlù'u. Le conseil des Géants est complètement muselé par les Enfants de Mimas. Ce sont eux qui prennent toutes les décisions, qui font et défont les lois.

« Antée était donc devenu une simple marionnette entre les mains des Enfants de Mimas. Vijay se hâta de rapporter les propos de l'Explorateur au conseil des Aryas. Le temps était compté. Il fallait que les Savants prennent des dispositions pour se protéger et se défendre. La technologie qui, jusqu'à ce jour, avait été mise au service de la paix et de la prospérité des Aryas devait être détournée. Il fallait se servir de cette formidable énergie pour armer les Savants. Ce ne fut pas une décision facile à prendre. »

Ψ

« Ce fut d'abord le bruit qui, un matin, alerta les Aryas. Un énorme roulement de tambour, suivi d'un bang caractéristique. Les vailixis de combat des Namlù'u déchirèrent les cieux, franchissant le mur du son, et volèrent autour de nos hautes montagnes comme des nuées d'insectes furieux.

« À Shamballa, les défenses étaient prêtes. Indra avait cédé le commandement de la cité de verre à Vijay. Un décret du conseil prévoyait de déléguer les pleins pouvoirs au général en cas d'absolue nécessité. Jusqu'à ce jour, jamais cette disposition n'avait été utilisée. C'était inutile, puisque les Aryas étaient pacifiques et que leurs voisins Géants ne s'occupaient pas d'eux. Mais cette fois, c'était différent. Il fallait se résoudre à faire parler les armes. Le premier ordre de Vijay consista en une mesure défensive. Il fit déclencher les Brouillards.

« Un dôme de fumée enveloppa totalement la cité. Mais les Enfants de Mimas avaient mis au point des armes extraordinaires, très complexes et terribles. Les Brouillards ne les incommodèrent pas une seconde. Leurs détecteurs permettaient de percevoir des objets situés à plusieurs centaines de bâtons de corde et d'entendre à distance. »

À ce moment, Emrys fit une brève pause.

— Hum ! Pardon ! À plusieurs kilomètres, se reprit-il inconsciemment, même si Mattéo n'avait pas bronché cette fois.

« Les combattants namlù'u projetèrent des rayons lumineux sur Shamballa. Nos défenseurs utilisèrent les Miroirs, des panneaux réfléchissants destinés à bloquer ces rayons laser et à les réexpédier vers l'attaquant. Puis, les Géants laissèrent tomber de leurs vaisseaux des gaz empoisonnés et des microbes destinés à nous anéantir. Les Aryas s'attendaient à ce que leurs adversaires se servent de telles armes bactériologiques. Eux aussi avaient appris à manipuler les bactéries, notamment pour le recyclage de certains matériaux qui ne pouvaient être dégradés que par des germes. »

— Oui, ça je connais ! s'enthousiasma brusquement Mattéo, comme si, enfin, il venait de saisir quelque chose qui lui avait semblé obscur jusque-là. Dans le cours de biologie, on a fait des manipulations de bactéries pour faire des tests sur la toxicité des métaux…

Emrys sourit en hochant la tête, puis poursuivit.

— Ainsi, toute la population arya avait reçu des vaccins antiradiations efficaces avant même le déclenchement des hostilités. Bref, comme vous le voyez, le conflit s'annonçait extrêmement violent et surtout dévastateur. Le conseil des Aryas jugea donc plus prudent d'archiver toutes nos connaissances et nos savoir-faire. Les Namlù'u menaçaient de nous rayer de la surface de la Terre.

— Les Aryas n'avaient jamais fait l'inventaire de leurs connaissances? l'interrompit Alixe. Vous n'aviez pas de bibliothèques?

— Pas de clés USB? se moqua Mattéo.

— Non, pas de clés USB..., confirma Emrys. Cependant, nous avions découvert le pouvoir des minéraux. Comme nous avions l'habitude de nous reproduire en transmettant nos connaissances et en les enrichissant d'une génération à l'autre, nous n'avions pas besoin d'un système d'archivage très complexe. Notre mémoire personnelle intégrée suffisait largement. Par contre, en nous attaquant, les Namlù'u ne menaçaient pas seulement nos vies, mais aussi notre civilisation et son histoire. En détruisant nos corps, ils détruisaient les cellules qui servaient au stockage des données.

« Ce fut Agni, en tant que grand prêtre, qui reçut la mission de sauver les connaissances aryas. Pendant que les vaisseaux de guerre zébraient le ciel du Gondwana, Agni et ses assistants s'assurèrent que la mémoire collective des Savants était insérée dans des cristaux.

— Si les plus cultivés d'entre nous disparaissent, il faut que les survivants aient accès à l'ensemble de nos savoir-faire et de nos connaissances pour rebâtir notre civilisation, précisa Agni sur la recommandation du conseil des Aryas.

— Nous devons à tout prix protéger les douze Gardiens des secrets de la vie, trancha Indra. Eux seuls auront accès à tous les Cristaux de mémoire. Nos savoirs sont trop précieux pour être laissés entre les mains de n'importe qui. S'il arrive malheur aux membres du conseil, les Gardiens seront les seuls à pouvoir livrer nos secrets à nos successeurs.

« La volonté d'Indra fut soutenue par le conseil. C'est ainsi que moi et onze autres avons été choisis pour devenir les Gardiens permanents de la sagesse ancestrale des Aryas. Aussitôt, nous avons été évacués de Shamballa et emmenés dans une cachette au cœur de la montagne. Des provisions et de l'équipement de survie y avaient été entreposés, car personne ne pouvait prévoir le temps que nous allions passer dans cet endroit. »

Alixe réprima un frisson. Vivre sous terre ne lui apparaissait pas comme une perspective emballante. L'expérience qu'elle en avait depuis quelques heures ne lui plaisait pas outre mesure. Elle se voyait mal passer plusieurs jours dans ce monde souterrain. Quant à être confinée sous terre pendant des mois, voire des années, brrr! C'était horrible!

Elle jeta un coup d'œil à sa montre. Voilà plus de quatre heures qu'ils cheminaient comme des taupes. Elle s'étonna de ne pas être épuisée, et surtout que son frère ne se soit pas encore plaint de se sentir fatigué ou affamé. Ils n'avaient rien apporté à grignoter. Se souvenant qu'elle avait une barre de céréales aux dattes dans la poche de son manteau, elle y glissa la main. Pour trois, ce serait vraiment un léger en-cas*.

Emrys lui fit un petit signe pour lui faire comprendre qu'il avait suivi ses pensées et il enchaîna:

— Les attaques des Géants s'intensifiaient. Les Aryas, poussés à bout par les Enfants de Mimas, renoncèrent à la défense passive. Il fallut passer à l'attaque. Vijay lança un assaut aérien contre les vailixis namlù'u.

« Le général espérait que, privés de vaisseaux, les agresseurs renonceraient. Par des ondes extrêmement puissantes, les armes aryas firent fondre leurs instrumentations. Puis,

62

Vijay ébranla l'atmosphère en générant de puissants orages électriques pour neutraliser les centrales qui assuraient le ravitaillement énergétique de La Colline. Ces mesures extrêmes enflammèrent les forêts et déclenchèrent des tempêtes qui balayèrent la Laurasia du sud au nord, détruisant tout sur leur passage. Pour les Aryas, c'était plus un solide avertissement qu'une attaque en règle, mais les Namlù'u en furent amèrement surpris.

« Au conseil des Géants, le prudent Talmaï tenta de faire entendre sa voix.

— Les Aryas sont beaucoup plus puissants que nous l'avons cru, déclara-t-il sur un ton alarmé. Au lieu de leur anéantissement, c'est le nôtre que nous risquons de provoquer.

— Antée, implora Og, ordonne à Mimas de cesser les attaques contre Shamballa. Retournons négocier avec Indra. On peut sûrement trouver un terrain d'entente. Le Gondwana est immense ; ses terres sont suffisamment vastes pour que deux peuples puissent y cohabiter en paix.

« Mimas tourna son visage blême vers le surveillant des volcans. Ses yeux n'exprimaient que la colère et la haine. Toutefois, un sourire narquois étirait ses lèvres. Il était impossible de percer ses pensées, mais Og savait qu'elles n'étaient certainement pas tendres.

« Depuis qu'Anak avait préféré l'exil à la soumission, les alliés d'Antée étaient en forte minorité au sein du conseil. Mimas n'avait plus qu'à tendre la main pour cueillir le pouvoir comme un fruit mûr. Il lui suffirait d'un mot pour prendre la direction de l'assemblée et se faire nommer roi. Seul un reste de respect hérité du passé l'empêchait encore de passer à l'acte. Mais, tous les Géants le savaient, les jours du roi Antée à leur tête étaient comptés. »

CHAPITRE 5

— Aaaaaaaaaaah! Aaah… aaah… aaah!!

L'écho du hurlement d'Alixe se répercuta dans les souterrains. Emrys et Mattéo, qui cheminaient devant elle, se retournèrent instantanément, comme piqués par une aiguille. Alixe, qui venait de glisser malencontreusement sur un tibia, était à quatre pattes, une main posée sur un crâne aux os blanchis par le temps qui affleurait du sol.

Elle retira vivement sa main et l'essuya sur son manteau avec un mélange d'effroi et de dédain. Elle se releva, tremblante et dégoûtée par ce qu'elle avait sous les yeux. Juste à sa droite, dans un renfoncement, des dizaines, ou plutôt des centaines de crânes la dévisageaient de leurs orbites vides; leurs mâchoires reposaient sur des entrelacements de tibias, de cubitus, de radius disposés pêle-mêle.

Lorsqu'il aperçut ce que sa sœur observait, la bouche grande ouverte sur un cri d'horreur retenu, Mattéo grimaça à son tour en émettant un couinement.

— C'est… c'est quoi, cette horribilité ?!… articula difficilement Alixe.

Elle semblait avoir avalé toute sa salive.

— On ne dit pas horribi…, commença Emrys.

— Je m'en fiche ! répliqua vivement Alixe. C'est quoi ?

Le jeune Arya s'approcha du renfoncement pour y glisser un œil dépourvu d'intérêt.

— Le sous-sol d'un cimetière, jeta-t-il froidement.

— Un cimetière…, répéta Mattéo.

— Et co… comment ces os-là se sont-ils retrouvés au milieu du passage ? balbutia Alixe, qui avait du mal à se remettre de ses émotions.

— C'est vrai, ça ! Comment ? renchérit Mattéo.

— Je vous l'ai dit, fit Emrys en soupirant. Des cataphiles se promènent dans les souterrains. Ce sont certainement eux qui se sont amusés à les déranger dans leur dernier repos.

— Pouach ! Drôle de passe-temps…, laissa tomber Alixe en s'écartant du renfoncement.

— Les ossuaires sont assez nombreux dans cette partie de la ville souterraine, ajouta l'Arya. Autrefois, il y avait des carrières en surface, elles ont été utilisées au fil du temps pour recevoir les os provenant des parcelles qui n'étaient plus entretenues par les familles.

Hé, Alixe, tu te rends compte ?... Tu as peut-être posé la main sur le crâne d'une personnalité bien connue de son temps et qui a fini dans une fosse commune ! se moqua Mattéo.

Alixe regarda sa paume en fronçant les sourcils. Puis, encore une fois, elle l'essuya sur son manteau, comme si cela pouvait la débarrasser de la désagréable sensation ressentie au contact de la tête froide.

— En tout cas, tu ne seras jamais archéologue, poursuivit Mattéo en ramassant le crâne et le tibia pour les rapporter près de leurs semblables, dans la niche.

— On va tomber sur d'autres mauvaises surprises du genre ? s'enquit Alixe.

— Wow ! Le jeu de mots ! s'exclama Mattéo.

Sa sœur le dévisagea sans comprendre.

— Tomber... Tu es bien tombée sur un os, au sens propre comme au figuré !

Alixe haussa les épaules sans répondre. Elle se hâta d'emboîter le pas à Emrys, qui s'était déjà éloigné dans le souterrain. Elle avait parfois du mal à saisir l'humour de son frère.

— Le plus important, déclara le jeune Arya, est de ne pas rencontrer les Dâsas.

Il ne leur avait rien dit des innombrables bestioles qui pullulaient dans les entrailles de la terre, car pour lui ce n'était pas un problème, et il ne s'imaginait pas que cela puisse en être un pour eux.

— Tiens, à propos des Dâsas, ils interviennent à quel moment dans la vie des Aryas ? s'enquit Mattéo, pour distraire Alixe des ossements qu'ils laissaient derrière eux.

— Oh, plusieurs siècles après les Géants ! répondit évasivement Emrys.

Sentant peser sur lui le regard des deux autres, il se replongea dans ses souvenirs des Premiers Temps pour poursuivre son récit.

— Comme je vous l'ai dit, les Aryas repoussèrent une première fois les Namlù'u. Mais le roi Antée ne put persuader son conseil de cesser les hostilités. Craignant pour sa vie, il préféra abandonner les rênes de la Laurasia entre les mains de son opposant, Mimas.

« Le premier geste de celui-ci fut bien entendu d'ordonner un nouvel assaut sur Shamballa.

« La belle cité de verre, dont le nom signifiait le "Lieu du Bonheur paisible", vit surgir des centaines de vimanas et de vailixis, tous conduits par des chasseurs-guerriers. Mimas se méfiait des défections ou des trahisons au sein des troupes des Géants. Ni Og, ni Sikhon, ni Talmaï ne furent autorisés à commander un vaisseau. De toute façon, ils n'y tenaient pas. Ils préféraient rester à La Colline que de se mêler d'une guerre qu'ils n'approuvaient pas.

« Nuit et jour, pendant une semaine, les Enfants de Mimas se livrèrent à des raids meurtriers sur la capitale arya. Malgré leur technologie, les Savants ne purent résister bien longtemps au pilonnage. Les armes soniques des Namlù'u firent éclater les murs vitrés des bâtiments publics et des habitations.»

— Sonique?! l'interrompit Mattéo. Comme ma brosse à dents sonique?

Alixe lui décocha un coup de coude.

— Sonique, ça veut dire qui utilise les sons, persista Mattéo, fier de prouver qu'il en savait plus qu'elle, pour une fois. Les brosses à dents soniques détruisent les bactéries par le son. Ces dernières ne supportent pas la résonance produite par la vitesse d'oscillation des soies de la brosse dans la bouche.

Alixe le dévisagea, incrédule.

— Si, c'est vrai! se récria son frère. C'est écrit dans le mode d'emploi!

Emrys avait écouté cet échange avec un air perplexe. Il avait du mal à s'habituer aux incessants coq-à-l'âne de Mattéo et à ses interruptions inopportunes.

— Ne t'occupe pas de lui, Emrys, dit Alixe en se détournant de son frère. Continue ton récit… Il cherche simplement à se rendre intéressant.

— Gnangnangnan! grommela Mattéo dans leur dos.

C'était son expression favorite, surtout quand il sentait qu'il n'aurait pas le dernier mot avec sa sœur.

Emrys mit quelques secondes à reprendre ses esprits et à retrouver le fil de son histoire. Finalement, il enchaîna, en surveillant Mattéo du coin de l'œil, s'attendant à être interrompu à tout moment.

« Le général Vijay ne savait plus que faire pour protéger son peuple.

— Nous devons utiliser la Grande Illusion, déclara, pour sa part, le grand prêtre Agni, lors d'une réunion extraordinaire du conseil arya pour faire le point sur la situation.

— Hum ! Je crains que ce ne soit pas suffisant pour les effrayer, soupira Samyou, le responsable de la prospérité.

— C'est tout ce qu'il nous reste. Si la Grande Illusion se révèle incapable de les chasser, alors ce sera la défaite ! laissa tomber Vijay.

— Je suis d'accord ! fit Indra. Seule une action concertée de tous les membres du conseil peut nous sauver. Je ne vois pas d'autre issue.

— On n'a pas encore tout essayé ! intervint Hari, un conseiller qui ne s'était pas encore exprimé. On pourrait peut-être leur envoyer les Homins !

« Un profond silence s'abattit sur la salle du conseil. Hari était en charge des Homins, c'était lui qui était parvenu à domestiquer ces "hommes de la forêt", à l'apparence mi-simiesque* mi-léonine*. Depuis, les

Homins lui étaient entièrement dévoués. Ils exécuteraient les ordres de Hari sans rechigner, même si, pour cela, ils devaient risquer leur vie.

« Indra allait répondre lorsque, brusquement, ce fut la cacophonie. Tout le monde voulut donner son avis en même temps. Le roi dut rappeler l'assemblée à l'ordre plusieurs fois avant qu'enfin on prêtât attention à sa voix. Il avait dû lever le ton, ce qui n'était guère dans ses habitudes. Tous le regardaient, stupéfaits de cet accès d'impatience.

— Expose-nous ton idée, Hari ! exigea le souverain, quand enfin le silence fut revenu dans la salle.

— Les Homins disposent des Sept Épouvantes, expliqua Hari. Ces armes ont déjà fait leurs preuves lorsque Og, Talmaï et Hobab ont tenté de voler les arbres de la Forêt sacrée des Cèdres.

— Fait leurs preuves, c'est vite dit ! l'interrompit Vijay. Humbaba n'a rien pu faire contre le Collecteur namlù'u. Il n'a pas compris que c'était un automate. De plus, ses tremblements de terre ont bien failli détruire la forêt que lui et les siens sont chargés de protéger.

— Vijay a raison, appuya Agni. Les Homins sont intelligents, mais contre des machines, que peuvent-ils faire ?

« Hari se mordilla les lèvres. Il n'avait pas de réponse à cette question de grande importance.

— Merci de ta proposition, Hari, dit Indra. Mais je suis d'accord avec le grand prêtre et le général. Ne risquons pas inutilement la vie des Homins. Ils pourront peut-être nous aider d'une autre façon, un jour ou l'autre.

« Hari secoua la tête. Les arguments de ses compagnons étaient solides. Il n'avait aucune autre proposition à faire.

— Bien ! Agni, en tant que grand prêtre, la direction de la séance de la Grande Illusion te revient. Pouvons-nous rester ici pour les incantations, ou préfères-tu t'installer dans un endroit plus propice ? s'enquit le roi.

— Ici, c'est très bien ! répondit Agni.

« Devant lui, sur la table, reposait un bandeau de lin blanc, dont le centre était orné d'un rubis écarlate taillé en amande. Cette pierre représentait l'œil qui voit au sein des ténèbres, et elle favorisait une méditation paisible. Elle était appelée le Troisième Œil. Le grand prêtre ceignit le bandeau en s'assurant que la pierre était bien alignée entre ses deux sourcils, puis déclara :

— Procédons sur-le-champ. Plus vite nous aurons recours à la Grande Illusion, plus tôt nous saurons si elle est efficace.

« Tous les conseillers assis autour de la table ronde mirent à leur tour un bandeau similaire à celui d'Agni. Puis, ils se tinrent par la main et psalmodièrent à voix basse des formules incantatoires.

« Pendant ce temps, dans le ciel de Shamballa, des centaines de vailixis lourdement armés étaient crachés des soutes des vimanas namlù'u. Comme des essaims d'abeilles furieuses, les aéronefs piquaient sur la ville dans un fracas infernal. Les murs de verre éclataient aux quatre coins de la cité. La population arya fuyait les habitations et les édifices publics en criant, ne sachant où se mettre à l'abri.

« Dans la salle du conseil, le bourdonnement des hordes ennemies était parfaitement audible, mais Indra et ses conseillers ne devaient pas se laisser perturber.

— J'ai le contact ! s'exclama soudain Agni, sans que son visage manifeste la moindre émotion, tant sa concentration était optimale.

« L'esprit du grand prêtre venait en effet d'infiltrer celui de Mimas, le commandant de la flotte des Géants. Aussitôt, tous les conseillers aryas vinrent accrocher leurs propres pensées à celles d'Agni. Leur nombre était leur force. Mimas ne pouvait pas bloquer une intrusion aussi massive. Tous les Savants, entièrement focalisés sur leur tâche, avaient maintenant les yeux fermés.

« Dans son vimana amiral, Mimas cligna plusieurs fois des yeux pour chasser les petits points dorés qui dansaient sous ses paupières. Ne parvenant pas à se débarrasser de ce qu'il prenait pour une manifestation de fatigue accumulée, il choisit de poser son vaisseau devant la grande arche de verre qui trônait à l'entrée sud de Shamballa.

« Il ne risquait rien en atterrissant. À première vue, les Namlù'u s'étaient rendus maîtres de la cité. Pendant un moment, il regarda ses chasseurs-guerriers en train de rassembler la population soumise sur la grand-place, au pied du bâtiment qui abritait le conseil. Cet édifice était encore ardemment défendu par des Hommes-Machines, mais cela ne l'inquiétait pas. Ses propres robots allaient s'en charger.

« Ce qui l'agaçait profondément, toutefois, c'était de constater que ses hommes ne lui avaient pas encore amené Indra et ses conseillers, pieds et poings liés. L'efficacité des Enfants de Mimas n'était plus à prouver, et il ne comprenait pas pourquoi ils n'avaient toujours pas capturé les chefs aryas.

« Soudain, des cris et des bruits de pas précipités le tirèrent de ses pensées. Il regarda dans la direction d'où venait ce brouhaha. Des dizaines de Géants détalaient en hurlant, abandonnant leurs armes dans leur fuite. Certains regagnaient précipitamment leurs vaisseaux pour s'y enfermer, tandis que d'autres, terrorisés, n'avaient même plus la présence d'esprit d'y chercher refuge. Ils couraient en tous sens, le plus loin possible de la cité. En cherchant à sonder leurs pensées, Mimas ne découvrit que des images informes d'animaux étranges, impossibles à identifier.

« Plus intrigué qu'effaré, il emprunta la large avenue bordée d'immeubles aux murs de verre éventrés. Des éclats crissaient sous ses pas, tandis qu'il avançait à grandes enjambées. Un Géant le bouscula, sans s'excuser, pour se précipiter avec une vingtaine d'autres vers la sortie de la ville. La peur l'avait empêché de reconnaître son commandant. La panique s'était emparée des Enfants de Mimas. C'était maintenant le sauve-qui-peut général. Mais le chef des chasseurs-guerriers ne saisissait pas du tout l'origine de cet affolement. Il pour-suivit son chemin, en sens inverse de la course effrénée de ses hommes, qui le poussaient sans gêne ni respect. Il réussit à en intercepter un en le plaquant au sol.

Que se passe-t-il ?

« Mais le Namlù'u était si terrifié que Mimas comprit rapidement qu'il ne pourrait rien en tirer. Ses yeux, son corps, ses mouvements, ses pensées, tout était empreint d'une frayeur extraordinaire. Il repoussa le Géant. Celui-ci, titubant, se hâta maladroitement de reprendre sa course. La place était maintenant désertée par les Géants, seuls les Hommes-Machines namlù'u étaient demeurés à leur poste pour surveiller la population de Shamballa.

« Il s'approcha d'un petit groupe de personnes qui, tranquillement, ramassaient des marchandises qui jonchaient le sol. Il y avait eu beaucoup de dégâts au marché. Plusieurs Hommes-Machines, qui d'habitude s'affairaient à la distribution des denrées, avaient été détruits. Des milliers de fragments de microprocesseurs étaient dispersés dans tous les coins.

« Quant aux Aryas, ils semblaient calmes. Bien trop calmes aux yeux de Mimas.

« *Il y a anguille sous roche*, pensa-t-il. *Pourquoi mes hommes sont-ils terrorisés, et les Aryas, si paisibles ?*

« Mais c'était peine perdue. Il avait beau tenter de percer les pensées de ces gens, il se heurtait à un mur infranchissable. Brusquement, il prit conscience de ce qui n'allait pas : il n'y avait plus aucun bruit de combat. Il leva la tête en direction des automates aryas qui hérissaient les terrasses de la citadelle. Ils étaient immobiles, tout comme ses propres robots. Les deux groupes se faisaient face, totalement figés, inutiles.

« *Leurs circuits électroniques ont été grillés*, se dit Mimas. *Mais que se passe-t-il donc ici ?*

« Il regarda ses automates qui avaient réuni la population sur la grand-place. Eux aussi étaient paralysés.

« C'est alors qu'il réalisa qu'il était le seul Namlù'u au milieu d'un millier d'Aryas. Il sentit la peur se glisser dans ses veines. Il recula d'un pas, puis d'un autre. Soudain, il resta là, tétanisé. Derrière les Aryas, à l'angle d'un mur de verre à moitié écroulé, il vit une chose, un animal de toute évidence, mais qu'il ne put identifier. Il n'était pas familier avec la faune du Gondwana, il n'avait jamais vu de tuatara géant, un reptile ressemblant à un lézard. Il recula encore. Tout autour de lui, d'énormes tuataras se déplaçaient en silence, leur longue langue fourchue fouettant l'air devant eux.

« Ces animaux disposaient eux aussi d'un troisième œil situé sur le haut du crâne. Il leur servait à absorber la lumière et à déterminer la position du soleil pour s'orienter. Dans le cas présent, c'étaient les Savants qui téléguidaient les tuataras en se servant de cet étrange organe. Ce que Mimas ne pouvait savoir, c'était que la version géante des tuataras n'existait pas dans la nature. Il s'agissait d'une pure création de la Grande Illusion.

« En effet, les membres du conseil s'étaient dotés de la capacité de créer des illusions d'optique phénoménales. En œuvrant de concert, ils pouvaient influencer le cerveau d'un ennemi pour qu'il imagine une taille gigantesque à n'importe quel animal du Gondwana. Cette fois, la tactique fonctionnait d'autant mieux que les Géants étaient très grands. Leurs capacités d'imagination étaient à la mesure de leur taille ; il était donc possible de leur faire voir des animaux démesurés. Ces illusions d'optique étaient l'une des cartes cachées des Aryas, cartes qui, apparemment, avaient bien rempli leur rôle, puisque la plupart des Namlù'u avaient évacué Shamballa sans demander leur reste.

« Contrairement à ses hommes, Mimas était surpris, mais nullement terrorisé. Agni s'en rendit compte en explorant ses pensées. Certes, il n'était pas rassuré, mais pas au point de décamper comme les autres Géants.

— Il n'abandonnera pas ! murmura le grand prêtre Agni.

« Mimas recula encore, puis revint calmement vers son vimana amiral, y monta et décolla. Aussitôt, tous les vailixis l'imitèrent et regagnèrent les soutes de leur vimana d'attache. Pendant de longues minutes encore, les Enfants de Mimas survolèrent Shamballa, mais cette fois sans faire usage de leurs armes.

« Dans la salle du conseil, les Aryas rompirent le cercle.

— Bien ! Nous savons maintenant que les Géants sont sensibles aux visions de la Grande Illusion, déclara Indra en ôtant son bandeau.

« Tous les autres l'imitèrent.

— Mais nous ne pourrons pas user du même stratagème deux fois de suite. Mimas n'est pas un sot, il va comprendre qu'il s'agit d'une ruse.

— Si nous devons encore une fois avoir recours à cette tromperie, il faudra y aller avec toutes nos ressources, confirma Vijay. Il ne se laissera pas abuser par nos petits tours de magie. Nous devrons sortir le grand jeu.

« Tous les membres du conseil opinèrent de la tête.

— Samyou, il faut faire un bilan des dégâts et remettre nos Hommes-Machines en état, ordonna Indra.

— Je vais aussi reprogrammer ceux que les Géants ont abandonnés ici. Ils viendront renforcer nos troupes, répondit Samyou. »

— Et toi, tu faisais quoi pendant ce temps-là ? questionna soudain Mattéo.

Mais Emrys n'eut pas le temps de répondre.

— Au secours !

Une main venait d'enserrer l'avant-bras d'Alixe et la tirait dans un recoin sombre.

CHAPITRE 6

Mattéo et Emrys réagirent au quart de tour au cri d'alarme d'Alixe. L'attrapant par l'autre bras, ils la tirèrent vers eux, tandis qu'elle hurlait de peur et de douleur d'être ainsi écartelée. Après quelques secondes, la main qui l'avait saisie lâcha prise. Entraînée par son élan, elle tomba dans les bras de son frère. Au même instant, une silhouette informe tenta de fuir les lieux, mais Emrys ne lui en laissa pas le temps. Utilisant ses pouvoirs d'Arya, il l'immobilisa de la même manière qu'il avait paralysé Mattéo plus tôt dans la journée.

Il se rapprocha ensuite de la forme, dont le visage, enfin éclairé par la luminosité du cristal, leur révéla les traits d'un homme d'environ cinquante ans. Un clochard, de toute évidence.

— C'est un Gueux, précisa Emrys.

Pour Alixe et Mattéo, la surprise était totale. L'homme sourit en montrant ses dents jaunies, dégageant une haleine putride qui fit reculer un peu plus le frère et la sœur, lesquels échangèrent des regards ébahis.

— Un… un gueux, répéta Mattéo. Tu veux dire un sans-abri, un vagabond…

— Si tu veux ! répondit le jeune Arya. Il n'est pas méchant ; juste un peu trop, euh… audacieux.

Encore une fois, le quinquagénaire leur adressa son plus beau sourire édenté.

— Qu'est-ce qu'il fait ici, celui-là ? Qu'est-ce qu'il me voulait ? bafouilla Alixe qui reprenait contenance, massant son poignet endolori.

Elle semblait maintenant furieuse.

— Hmm ! Belle fille ! minauda le clochard en la dévisageant.

Emrys fit un clin d'œil à son amie. Mais l'adolescente n'était pas d'humeur à plaisanter. Son visage était fermé et elle frissonnait encore, même si peu à peu sa peur s'estompait.

— Bonjour, Emrys, fit l'homme, dévoilant des gencives édentées sur les côtés.

Mattéo et Alixe restèrent bouche bée en entendant l'homme prononcer le nom de leur ami.

— Je vous ai dit que j'étais déjà passé plusieurs fois par ces souterrains, commenta le jeune Arya. Je connais quelques Gueux, comme Cloche-Pied…

— On ne dit pas «gueux», se moqua Mattéo, ça fait très Moyen Âge…

— C'est le nom qu'ils ont donné à leur groupe, répliqua Emrys. Les Gueux forment une sorte de clan. Ils ont constitué un genre d'association de clochards qui vivent ici, sous terre. Ils ont choisi de vivre en marge de la société. Les souterrains leur procurent un abri, mais aussi des possibilités de se soustraire à ceux qui les cherchent, les autorités, en d'autres termes, tant policières que sanitaires.

— Ils sont nombreux? questionna Alixe en jetant des coups d'œil autour d'elle, comme si elle s'attendait à les voir sortir des murs telles des colonies de fourmis.

Elle n'avait jamais eu conscience de cette vie qui grouillait sous terre, à quelques mètres seulement de son existence bien ordonnée de jeune citadine.

— En ville, on est une douzaine! répondit le dénommé Cloche-Pied, qui devait son surnom à un boitillement accentué de la jambe droite.

— Mais dans certaines mégapoles*, on peut les compter par milliers, enchaîna Emrys. Certains vivent en groupe, et d'autres, en solitaire.

— Mais, et les refuges, alors? demanda Mattéo.

— D'après ce que j'ai entendu dire, beaucoup de SDF* n'aiment pas les refuges, répondit Alixe, qui avait maintenant retrouvé tout son aplomb.

— Trop de règlements…, baragouina le Gueux. Moi, je suis un homme libre.

— Et les tunnels offrent des cachettes, des caves, des cavernes, des salles naturelles et mille et un lieux où s'abriter, n'est-ce pas?

L'itinérant confirma de la tête, laissant Emrys poursuivre son explication.

— L'hiver, la température y est à peu près constante, aux alentours d'une douzaine de degrés, même quand il gèle à pierre fendre à l'extérieur.

— On se tient chaud grâce aux sorties d'air des bureaux et des centres commerciaux, ajouta Cloche-Pied.

— Eh bien! Je ne m'attendais pas à ça! souffla Alixe, sérieusement interloquée. Des étudiants cataphiles, des Dâsas, des Gueux... Mince!

— Sans oublier les artistes qui viennent jouer aux «hommes des cavernes» en taguant ou en sculptant les rochers souterrains; les musiciens qui squattent des caves pour leurs répétitions ou pour faire la fête; le personnel de la Société des eaux qui s'occupe des égouts et des conduites d'eau potable, et celui des compagnies d'électricité, du téléphone, de la câblodistribution, des transports publics...

— Wow, c'est l'autoroute ici! Y a du monde! se moqua Mattéo.

Un gargouillement soudain les fit tous sursauter. À plusieurs reprises depuis une heure, l'estomac de Mattéo s'était manifesté, mais il n'avait pas voulu se plaindre de la faim. Il craignait de se faire rabrouer une fois de plus par sa sœur.

— T'as faim, jeune homme! Allez, suivez-moi… On va casser la croûte! fit Cloche-Pied en s'emparant du bras de Mattéo pour le tirer, en clopinant, vers un autre passage.

— Aïe! cria le garçon en se cognant au plafond bas.

— Attention à la tête! ajouta, trop tard, le Gueux en se courbant et en tirant Mattéo qui tentait de se défaire de sa prise. Prenez garde aussi où vous mettez les pieds; j'ai disposé quelques pièges.

— On te suit! le rassura Emrys en précédant Alixe dans le tunnel.

Le Gueux s'enfonça dans la pénombre en zigzaguant pour éviter des tessons de bouteilles, de vieilles casseroles en équilibre précaire et quelques cloches, suspendues à des fils, qui tintèrent sur leur passage. Mattéo se demanda à quoi toute cette installation pouvait servir, mais garda sa question pour lui.

Après une vingtaine de mètres, Cloche-Pied poussa une porte de bois vermoulue. Devant eux s'ouvrait le sous-sol d'un immeuble abandonné. En jetant des coups d'œil autour d'eux, les adolescents virent que plusieurs pièces y étaient sommairement aménagées. Ils devaient être trois ou quatre sans-abri à habiter là.

Le Gueux actionna un commutateur et la lumière jaillit. Aussitôt, Emrys effleura son cristal pour l'éteindre.

— J'ai quelques notions d'électricité, ricana Cloche-Pied. Tout le monde est branché gratis ici.

Il pointa le plafond. Alixe et Mattéo levèrent la tête. Des dizaines de fils couraient dans tous les sens. Les sans-abri pirataient la compagnie d'électricité.

— Je suis un peu plombier aussi, ajouta l'homme en ouvrant un robinet qui crachota de l'eau potable dans une cuve.

Les Gueux s'étaient installés en marge de la société dans un confort tout à fait relatif, dans les pièces qui se trouvaient sous cet immeuble en ruine. Alixe essaya de se représenter l'endroit à l'air libre. Ils étaient sûrement sortis de la ville maintenant, mais il lui était impossible de deviner dans quelle direction ils cheminaient. Elle ne se souvenait pas d'avoir vu d'immeubles désaffectés dans les environs de leur quartier.

Pendant qu'elle s'interrogeait, l'homme ouvrit un petit réfrigérateur. Il en extirpa une grosse bouteille de soda à moitié pleine, un morceau de fromage et deux pommes, en s'excusant.

— Je ne m'attendais pas à recevoir des invités… J'ai pas fait les courses !

Il posa le tout dans une assiette fêlée, sur une table bancale, puis sortit un canif de sa poche. Il partagea le fromage et les pommes en quatre parts égales, puis invita les jeunes à s'asseoir sur des caisses de bois renversées et à se servir. Alixe fit d'abord la grimace, mais avança la main pour prendre la nourriture. Sa main resta en suspens une fraction de seconde, puis la jeune fille la dirigea plutôt vers sa poche pour en sortir sa barre de céréales aux dattes. Elle la cassa en quatre et déposa les petits morceaux à côté des quartiers de pommes et du fromage.

L'homme ramassa un verre, le rinça au robinet et le déposa sur la table.

— J'en ai juste un ! s'excusa-t-il encore.

Emrys remplit le verre de soda et le passa d'abord à Mattéo. Ce dernier le tourna quelques secondes entre ses doigts, mais il avait la gorge sèche après cette longue marche dans les souterrains poussiéreux. Il avala rapidement une bonne lampée en fermant les yeux. Emrys remplit de nouveau le verre et le tendit à Alixe. Elle but à son tour, heureuse de pouvoir enfin chasser le goût de terre qui remplissait sa bouche. Le jeune Arya refusa le soda, mais se dirigea vers le robinet pour y tirer un peu d'eau. Chacun grignota ensuite la nourriture, en silence.

Emrys profita de l'occasion pour sonder l'esprit du quinquagénaire. Il ne fut pas étonné de découvrir que Cloche-Pied avait croisé Vitra tout récemment. Connaissant la méchanceté des Dâsas, l'itinérant avait pris soin d'éviter tout contact.

Les Dâsas s'en prenaient parfois physiquement aux Gueux, principalement lorsqu'ils jugeaient que ceux-ci s'approchaient un peu trop de leur repaire. Certains Gueux avaient payé très cher leurs tentatives de voler de la nourriture ou des biens dans les salles souterraines contrôlées par les Dâsas. Les Ténébreux pratiquaient aussi la chasse aux sans-abri, simplement pour le plaisir qu'ils en tiraient. Pour eux, les Gueux n'étaient ni plus ni moins que des animaux qu'ils pouvaient traquer, comme autrefois on faisait la chasse au cerf. Les Dâsas n'avaient aucune morale. Rien n'était tabou. Leur cruauté n'avait pas de limite. Les Aryas qui fréquentaient les cavernes, au contraire, avaient pris l'habitude de laisser de la nourriture, parfois un peu d'argent ou quelques objets de première nécessité bien en vue pour les Gueux.

Emrys ne jugea pas pertinent, pour le moment, de partager avec ses deux amis les informations qu'il détenait sur la vie souterraine des Ténébreux et des Gueux, pas plus que sur la rencontre furtive entre Cloche-Pied et Vitra. Il était inutile de les alarmer plus qu'ils ne l'étaient déjà.

Le kidnapping de leurs parents, leur interminable cheminement dans les souterrains et cette rencontre inattendue avec le Gueux leur causaient déjà bien assez de stress. Pour le jeune Arya, ce n'était pas la peine de rajouter ces nouvelles à leurs inquiétudes.

Mattéo bâilla à s'en décrocher la mâchoire et Alixe consulta sa montre. Presque minuit. Voilà presque six heures qu'ils avaient quitté leur maison pour se lancer dans cette aventure, qu'avec le recul elle trouvait complètement insensée. Si cette pause était la bienvenue, la fatigue était cependant en train de les rattraper.

Si on ne repart pas tout de suite, mes jambes n'arriveront plus à avancer, songea-t-elle en tentant de se lever. Mais de la main, Emrys la retint.

Il faut que vous vous reposiez, déclara-t-il. Vous ne pourrez pas continuer si vous ne dormez pas un peu.

— J'ai pas sommeil ! s'exclama Mattéo en bâillant aussitôt.

— Tu connais un endroit calme pour dormir ? demanda Emrys au SDF.

— À côté, vous ne serez pas dérangés. C'est inoccupé. J'ai même deux sacs de couchage neufs que j'ai récupérés hier à un comptoir pour démunis, répondit l'homme.

Alixe et Mattéo protestèrent encore quelques minutes.

— Reposez-vous une heure…, insista Emrys.

— J'ai pas confiance ! grommela Mattéo. Tu vas en profiter pour chercher nos parents sans nous…

— Ne dis pas de bêtises, le rabroua Alixe. Il ne va pas nous abandonner dans ces souterrains. Comment veux-tu qu'on sorte de ce labyrinthe sans lui ?

Mattéo marmonna encore quelque chose d'inintelligible, avant de prendre, plutôt sèchement, le sac de couchage que Cloche-Pied lui tendait.

— Je reste ici, près de vous ! confirma Emrys. Nous en avons encore pour quelques heures de marche. Vous ne tiendrez pas le coup jusqu'au bout si vous ne savez pas faire des pauses quand c'est le moment.

— Et toi, tu dors où ? demanda Alixe en étendant le sac que le Gueux lui remit à côté de celui de son frère, à même le sol.

Ils roulèrent ensuite leurs manteaux en boule pour s'en faire des oreillers.

— Moi, je peux marcher des heures sans ressentir aucune fatigue. Ne vous inquiétez pas pour moi…

— J'arriverai jamais à dormir ici! gronda Mattéo en fixant les toiles d'araignée qui décoraient la cave.

— N'en sois pas si sûr! souffla Emrys.

Dès que le frère et la sœur se furent allongés, il orienta son cristal, capta un rayon de lumière émanant d'une ampoule qui pendait au plafond et le dirigea vers eux. Quelques secondes plus tard, il sourit: Mattéo ronflait comme un loir et Alixe dormait profondément.

Il ne leur avait pas encore dévoilé toutes les propriétés de son cristal. En plus d'être une clé donnant accès aux disques gravés des connaissances et des savoir-faire oubliés, ce dernier recelait de nombreux secrets sur lesquels Emrys veillait jalousement.

Lorsque les deux adolescents se réveillèrent une heure plus tard, ils étaient si bien reposés qu'ils eurent l'impression d'avoir dormi une nuit complète.

Pendant leur sommeil, les laissant une quinzaine de minutes sous la surveillance de

Cloche-Pied, Emrys était remonté à la surface en passant par l'immeuble désaffecté.

Il avait quelque peu hésité à les laisser seuls, mais il avait besoin de ce petit quart d'heure pour se rendre au supermarché voisin et acheter quelques provisions. C'était court, quinze minutes, mais cela pouvait se révéler terriblement long, si on tombait entre les mains des Dâsas. Cependant, il jugea que le risque que Vitra débarque à l'improviste dans la cachette de Cloche-Pied était plutôt minime.

— Je vais veiller sur eux comme sur mes propres enfants, lui lança le Gueux. Ne t'inquiète pas. Personne ne peut approcher de mon petit cocon sans que j'en sois alerté.

— Oui, j'ai vu…, répondit Emrys.

Il se dit en lui-même que le dispositif d'alerte qu'avait installé l'itinérant était tout à fait insuffisant. De vieilles casseroles, des cloches, quelques tessons de bouteilles, ce n'était pas cela qui ralentirait les Ténébreux.

En émergeant de l'immeuble en ruine, il prit soin de rester immobile quelques secondes pour sonder les alentours. Tout lui parut calme et sécuritaire. Il se hâta vers le petit supermarché qui se dressait au bout de la rue.

Il n'avait pas beaucoup d'argent sur lui, car ils avaient quitté la demeure des Langevin un peu trop précipitamment pour penser à en emporter, mais il en avait quand même suffisamment pour se procurer des noix, des berlingots de lait de soya, quelques fruits frais. Il en profita aussi pour acheter un peu de nourriture pour Cloche-Pied. Ils avaient consommé tout ce qu'il possédait, et c'était la moindre des choses de remplacer ce qu'ils avaient mangé. Lorsque Emrys étala ses emplettes sur la table brinquebalante, le visage du Gueux s'illumina d'un large sourire. Il n'en espérait pas tant.

Après avoir fait honneur à la nourriture et s'être bien reposés, il était maintenant temps pour eux de partir.

— Sois prudent, Cloche-Pied! lança Mattéo au sans-abri lorsqu'ils quittèrent son repaire.

Alixe lui tendit la main. L'itinérant se pencha, lui fit une révérence malhabile et, du bout des lèvres, un délicat baisemain. Le geste était tellement inattendu qu'elle éclata de rire.

— Ah, quelle belle fille! soupira Cloche-Pied.

— Désolé, mon ami. La belle fille reste avec moi…, répondit Emrys.

— Toujours les mêmes qui ont de la chance! Revenez me voir quand vous voulez, ma porte sera toujours ouverte pour vous, leur lança Cloche-Pied en les regardant s'éloigner.

CHAPITRE 7

Reposés et rassasiés, les adolescents reprirent leur route dans les entrailles de la terre.

— Encore deux heures de marche et nous serons arrivés à la Salle du Cristal, les encouragea Emrys.

— J'ai bien hâte de voir ça! fit Mattéo. J'espère que ça vaut le coup de faire tous ces détours…

— Nous y serions déjà si nous n'avions pas eu à passer par d'autres souterrains pour éviter Nisha et Vitra…

Ils marchèrent assez rapidement pendant une vingtaine de minutes, enfilant des tunnels à droite, à gauche, tout droit. Mattéo avait l'impression de tourner en rond.

— Ces souterrains se ressemblent tous, comment fais-tu pour t'y retrouver? demanda Alixe. Moi, je suis complètement perdue.

— T'as pas encore compris? Son peuple lui a sûrement greffé un GPS dans le cerveau! blagua son frère.

Alixe soupira en se demandant quand son frère cesserait de dire autant d'âneries.

Pour sa part, Emrys souleva simplement le cristal qui reposait sur sa poitrine.

— Pas besoin de GPS ; j'ai ça ! Il peut se connecter à distance à celui qui se trouve dans la Salle du Cristal. L'éclat de la lumière qu'il génère me permet de m'orienter.

— Eh bien, t'as de bons yeux, parce que moi, je ne vois aucune différence dans l'intensité de la lumière, dit Mattéo avec une moue sceptique.

Ce fut à ce moment-là que la cordelette qui retenait le cristal se dénoua soudainement. Emrys n'eut pas le temps de réagir : le précieux talisman tomba sur le sol, s'éteignant et les plongeant dans le noir le plus profond. Aussitôt, Alixe et Mattéo se jetèrent à quatre pattes pour tenter de le récupérer.

— Je l'ai ! s'écria Mattéo en se relevant, le cristal dans la main.

— Non ! Attention ! Ne le touche pas…, le prévint Emrys sur un ton catastrophé.

Mais c'était trop tard. En une fraction de seconde, la pierre se mit à briller d'une lumière blanche aveuglante, puis pulsa très très rapidement et… pffft ! Mattéo disparut.

Le cristal tomba sur le sol, clignotant toujours par intermittence. Alixe demeura pétrifiée une seconde, puis se mit à hurler.

— Mattéoooooo ! Nooooooooon !

Emrys voulut la prendre dans ses bras, mais elle le repoussa violemment, hystérique.

— Mon frère! Où est mon frère? Mattéo! Qu'est-ce que tu lui as fait?

— Calme-toi! Je ne lui ai rien fait! C'est lui qui… Écoute-moi! Calme-toi! Mattéo est parti dans une autre dimension.

Le visage d'Alixe était baigné de larmes. Elle frappa le torse d'Emrys de ses deux poings. Pour elle, les mots « autre dimension » ne voulaient strictement rien dire. Son frère s'était volatilisé, c'était tout ce que son esprit était en mesure de comprendre.

— Mon frère, mon frère…

— Il ne lui arrivera rien, murmura Emrys d'une voix apaisante. Mais nous devons nous dépêcher de rejoindre la Salle du Cristal. C'est le seul moyen de le faire revenir.

Il ramassa son pendentif, qui cessa aussitôt de clignoter et se remit à scintiller d'une lumière blanche, intense, mais non aveuglante. Il le renfila sur la cordelette, puis s'assura d'y faire de bons nœuds bien solides. C'était la première fois qu'une telle mésaventure lui arrivait, et il se jura que ce serait bien la dernière. Il ne comprenait pas comment il avait pu faire preuve d'autant d'insouciance. D'habitude, il vérifiait plusieurs fois par jour que sa cordelette était bien attachée, mais aujourd'hui, il avait vraiment oublié.

En jetant un coup d'œil à Alixe, il se demanda s'il ne devenait pas plus négligent à cause de son attirance pour elle. *Ce n'est vraiment pas le moment de tomber amoureux*, se réprimanda-t-il.

Il voulut saisir sa main, mais elle recommença à crier à tue-tête en le repoussant. Il n'avait pas le choix, il devait intervenir. Il plaqua une main sur son ventre et l'autre sur son front de manière à la calmer. L'adolescente tremblait de tous ses membres. Peu à peu cependant, sa respiration s'apaisa, ses yeux se fermèrent, les battements de son cœur ralentirent, ses jambes devinrent de coton. Elle tituba. Emrys la retint pour lui éviter de s'affaler sur le sol terreux. Hypnotisée, elle abandonna sa volonté entre les mains du jeune Arya. Il se hâta de la conduire dans de nouveaux tunnels, moins larges et au plafond bas. Ils devaient souvent se pencher, et parfois avancer à quatre pattes. Alixe suivait Emrys sans prononcer un mot, dans un état presque catatonique.

Pour sa part, Mattéo n'eut pas conscience qu'il avait été projeté dans une autre dimension. Il constata simplement qu'il était apparu instantanément au pied d'une haute et large arche de verre. Il avait l'impression d'avoir intégré un corps qui n'était pas le sien. Il examina ses mains ; elles étaient bronzées. En soulevant ses manches, il vit qu'il était vêtu d'une tunique de lin écru. Il regarda ses pieds ; ils étaient nus dans une paire de sandales de corde. Malgré tous ces indices, il mit quelques secondes avant de saisir qu'il s'était incarné dans le corps d'Emrys. Toutefois, il ne ressentit aucun étonnement, aucune peur, aucune douleur. La transition s'était faite tout en douceur, et il n'avait eu connaissance de rien.

Ah ! Je rêve..., se dit-il simplement, sans chercher à comprendre comment il pouvait bien savoir qu'il était en train de rêver. Tout semblait si naturel. De toute façon, ce qu'il découvrait était beaucoup plus intéressant que les questions qu'il aurait pu se poser.

De l'autre côté de l'arche se pressaient des milliers de personnes qui couraient comme des petites fourmis paniquées, se ruant hors de grands édifices de verre aux parois éclatées. Il semblait faire très chaud, mais Mattéo n'en souffrait pas. Il ne ressentait même pas l'air humide sur sa peau. Il s'approcha des gens. Une peau mate, des cheveux noirs et brillants, des yeux couleur d'ébène ; ils se ressemblaient tous. Mattéo ne pouvait même pas distinguer s'il s'agissait d'hommes ou de femmes. Ils étaient tous vêtus de la même manière, d'un *kurta pajama** blanc ou bleu pâle. Leurs visages angoissés ruisselaient de sueur sous les chauds rayons du soleil.

Toutefois, le plus intrigant, c'était le silence. Beaucoup de monde s'agitait dans tous les sens, mais il ne percevait pas le moindre son. Aucun cri, aucune parole, ni aucun bruit de machine, d'une quelconque faune ailée ou de toute autre manifestation de vie. Le silence, rien que le silence.

Soudain, il perçut un mouvement de foule ; des gens se mettaient à courir. Même le bruit de leurs pas ne l'atteignit pas. Il éprouva un sentiment étrange, comme s'il voyait tout cela se dérouler dans un monde parallèle ou derrière une glace sans tain. Il se sentait spectateur et non acteur de cet univers étrange.

Il demeura figé près de l'arche de verre, ne sachant que faire. Il tendit la main devant lui et ne rencontra aucun obstacle. Il pouvait aller au-devant de ces gens ou s'éloigner à son tour.

Rien de ce qu'il voyait ne pouvait lui fournir un quelconque indice sur l'origine de cette panique. Tout à coup, il fut bousculé par un être de taille moyenne qui se déplaçait en regardant vers le haut. Mattéo l'imita et leva les yeux.

Le ciel était orangé ; une lumière jaune le traversait à une vitesse phénoménale, laissant une longue traînée rouge dans son sillage. Sa masse grossissait à vue d'œil. La boule de feu frôla les toits de verdure des immeubles, consumant sur-le-champ les plantes qui s'y épanouissaient. Il crut qu'une clameur de terreur s'élevait de la ville, mais ce n'était qu'une illusion. Dans les faits, il n'entendait toujours rien. Ce fut alors qu'il vit des personnes qui tombaient pour ne plus se relever. La foule s'éparpilla, en proie à la plus grande terreur. Mais la boule revint les survoler. En y regardant de plus près, Mattéo découvrit que d'autres sphères du même type étaient lancées par un engin argenté, en forme de long cigare, parsemé de lumières orange et rouges clignotantes. Il savait de quoi il s'agissait : un vailixi de combat. D'autres boules de feu jaillirent de l'engin. Puis, l'appareil s'éleva dans le ciel enflammé et disparut vers l'horizon. Les boules déchirèrent les cieux, puis se perdirent au loin.

Plusieurs secondes s'écoulèrent sans qu'il ne se passe rien. L'adolescent se dit que l'attaque devait avoir cessé, mais soudain, le ciel s'illumina d'une myriade de lumières qui fonçaient directement sur la ville. De longues langues de feu jaillirent des vaisseaux pour embraser les maisons de verre.

Maintenant, les gens fuyaient dans la vallée, le plus loin possible de Shamballa. Soudain, comme s'il venait de retrouver l'ouïe d'un seul coup, le son éclata dans ses tympans. Il sursauta et porta les mains à ses oreilles. Tous les bruits jaillirent dans une cacophonie insupportable.

Après avoir mis quelques secondes à se réhabituer aux divers sons ambiants, il entendit résonner le tonnerre. Mattéo comprit très vite que ce n'était pas le bruit d'un orage, mais plutôt le son provoqué par deux gros vimanas qui vinrent se placer en vol stationnaire au-dessus de la cité meurtrie. Ils se mirent à projeter des éclairs vers le sol, et la terre trembla.

Pourquoi les Aryas ne répliquent-ils pas? songea Mattéo. Comme en réponse à sa pensée, des faisceaux de lumière bleue fendirent le ciel, s'élevant du grand édifice, au centre de la cité, qui abritait le conseil des Aryas.

Tiens, c'est bizarre; comment puis-je savoir que c'est là que se réunissent les membres du conseil? Il fit une moue en haussant les sourcils, perplexe.

Les rayons frappèrent plusieurs vailixis et les désintégrèrent. De minces particules carbonisées retombèrent en pluie sur Shamballa et tout autour, dans les champs et les vergers de la verte vallée. Maintenant que le garçon percevait les sons, il entendit clairement un grondement et aperçut tout de suite après un nuage de poussière. Les animaux de la vallée détalaient. Il reporta son regard sur le « Lieu du Bonheur paisible ». La ville était ravagée.

Le pacifisme des Aryas les avait longtemps empêchés de répliquer aux attaques que lancèrent sur eux les appareils de la flotte commandée par Mimas. Après l'avoir chassé une première fois, les membres du conseil avaient espéré que la leçon serait suffisante pour l'empêcher de revenir à la charge, mais le chef des chasseurs-guerriers namlù'u ne semblait pas avoir compris le message, ou alors, plus vraisemblablement, il s'en moquait. Sûr de la supériorité de ses armes, Mimas était aussi aveuglé par son orgueil. Tout juste avant de fondre sur Shamballa, il avait encore une fois fait le point avec ses hommes.

— Ce ne sont certainement pas ces nains insignifiants qui vont m'empêcher d'accomplir mon destin, avait-il lancé à Lahmi, son aide de camp. Je les anéantirai.

D'un geste rageur, il avait écrasé son poing de Géant dans la paume de sa main.

Tu as raison. Nos vimanas sont imprenables et indestructibles, avait répondu Lahmi. Nous avons bien observé leurs vaisseaux ; les nôtres sont beaucoup plus performants. Sippai m'a garanti qu'ils pouvaient s'immobiliser en une fraction de seconde et, surtout, devenir invisibles en plein ciel.

Au mot « invisible », Mimas avait exprimé son scepticisme d'une grimace.

— Jusqu'à maintenant, nous ne pouvions dissimuler nos vaisseaux qu'après avoir atterri, mais nos chercheurs ont développé une nouvelle technologie qui les rend transparents même en vol. Personne ne peut déceler leur présence, avait assuré Lahmi.

Toutefois, en voyant le rayon bleu percer facilement la carlingue à haut degré d'absorption thermique de ses vailixis, le chef des Enfants de Mimas ressentit, pour la première fois, un sérieux doute sur ses capacités à remporter la victoire. Apparemment, l'invisibilité de ses vaisseaux n'était pas au point, ou alors les Aryas disposaient de ressources insoupçonnées, ce qui était beaucoup plus inquiétant.

Les aéronefs de combat des Géants étaient faits de matériaux légers. Ils pouvaient décoller verticalement, voler plus vite qu'un vent de tempête, et ils étaient équipés d'armes redoutables, avait certifié Sippai. Par exemple, l'équipage pouvait transmettre des hologrammes à l'ennemi, de manière à l'induire en erreur sur la localisation de l'appareil. Les Namlù'u avaient aussi mis au point des dispositifs pour entendre les conversations des Aryas à distance. D'autres leur permettaient de réduire ou d'agrandir les images des édifices de la cité ennemie, afin de déterminer le meilleur angle de frappe et le meilleur point d'impact ; ils étaient ainsi assurés de faire le plus de dégâts possible.

Jamais Mimas n'aurait pu imaginer que les Savants puissent disposer de parades à ces armes terribles. Et pourtant, cela semblait être le cas. Il maudit les Explorateurs namlù'u. La plupart d'entre eux étaient des fidèles du roi Antée. Mimas était convaincu que ses espions lui avaient volontairement caché les capacités technologiques de ses adversaires.

Ils vont me le payer… et très cher ! jura-t-il en lui-même en grinçant des dents.

Dans son vimana amiral, à l'abri des flèches bleues des Aryas, Mimas assista, impuissant, à la destruction de dizaines de vailixis qu'il vit s'évaporer en millions de particules noires. Pour lui, c'était tout simplement impossible. Grimaçant de rage, il se tourna vers Lahmi :

— Il y a des traîtres parmi nous ! Ils ont dévoilé notre technologie à ces… ces… ces minables ! Les Explorateurs nous ont trahis sur l'ordre d'Antée. Et je suis convaincu que les Anakim sont à l'origine des fuites. Ils ont livré nos secrets aux Aryas en échange de leur protection. Les Anakim sont trop stupides pour fonder de nouvelles colonies sans aide. Il faut les anéantir.

Lahmi le dévisagea, ne disant rien mais n'en pensant pas moins.

Mimas va trop loin. Il a perdu son calme et cherche des coupables là où il n'y en a certainement pas. Anak et les bâtisseurs n'ont rien à voir là-dedans. Les Savants sont simplement plus évolués qu'ils l'ont laissé paraître, songea-t-il. Il fit faire demi-tour au vaisseau amiral.

À quelques kilomètres de là, au sol, Mattéo se décida enfin à bouger. Il s'avança sur le large pont de verre qui enjambait la paisible rivière qui mouillait les pieds de Shamballa. Il devait se montrer prudent ; le pont avait été endommagé par les attaques des Enfants de Mimas. Une fois encore, cependant, il se rassura en se disant que ce n'était qu'un rêve.

Comme lui, des centaines d'Aryas, calmement, revenaient peu à peu dans la cité détruite. De l'édifice central sortaient déjà des Hommes-Machines. Ils entreprirent le ménage des rues et commencèrent à remettre les bâtiments d'habitation les plus endommagés en état. Ils se chargèrent également des morts. Ceux-ci furent rapidement ensevelis dans la vallée, sous un tumulus spécialement aménagé.

Mattéo aperçut quelques Savants vêtus de longues robes couleur safran qui remontaient le principal axe nord-sud de Shamballa dans sa direction. Même s'il ne les avait jamais rencontrés auparavant, il les identifia avec facilité. C'était le roi Indra, accompagné de membres du conseil, Samyou, Agni et Hari, qui venaient constater de leurs yeux l'ampleur de la destruction.

Indra aperçut le jeune homme et le dévisagea.

Qui es-tu? entendit celui-ci distinctement dans son cerveau. *Un Gardien des secrets de la vie…,* transmit Mattéo de la même manière.

C'est faux. Tu en as l'apparence, mais tu n'es pas un Gardien! lui répondit Agni, toujours par transmission de pensée.

Mattéo ne savait que dire. Lui-même ne pouvait expliquer sa présence dans ce lieu. Il ne savait pas comment il y était arrivé, il ne savait pas comment en repartir. Tout cela était tellement irréel! Il se demanda encore s'il rêvait, s'il était fou ou s'il avait été intoxiqué par une quelconque substance qu'il aurait respirée dans les souterrains. Il connaissait très bien son nom véritable. Il avait accepté le fait qu'il s'était incarné dans le corps d'Emrys, mais comment tout cela avait été possible? C'était le nœud de la question.

Suis-nous dans la salle du conseil, lui ordonna télépathiquement Indra.

Mattéo n'entendit ensuite plus rien dans sa tête. Il se dirigea aussitôt vers les chefs aryas. Ses jambes n'obéissaient pas à sa volonté, mais étaient soumises aux ordres d'Indra. C'était dérangeant, mais pourtant, il n'avait aucune crainte. Sans savoir comment, il comprenait qu'on ne lui voulait aucun mal et qu'il ne courait pas de danger.

Il entra dans la salle du conseil à la suite des quatre Savants. Indra lui indiqua un siège. Il y prit place. Agni passa derrière lui et lui ceignit le front d'une bande de tissu. Les membres du conseil mirent ensuite leur propre bandeau. De leurs rubis jaillirent des rayons rouges qui vinrent frapper celui que Mattéo portait entre les deux yeux. La tête de l'adolescent recula légèrement vers l'arrière lorsque les faisceaux l'atteignirent. Puis, il ne ressentit plus rien.

Quelques secondes plus tard, il ouvrit les yeux. Il ne vit que l'obscurité. Une odeur de terre l'indisposa. Il écarta les bras. Ses mains touchèrent des parois à droite et à gauche. En se levant, il se frappa durement le sommet du crâne contre le plafond bas et s'évanouit.

CHAPITRE 8

Encore tout étourdi, Mattéo ouvrit doucement un œil, puis l'autre. Hésitant, il porta une main tremblante à sa tête et fronça les sourcils. Elle était entourée d'une bande de gaze. Que lui était-il donc arrivé? Il souleva son torse… trop vite: un étourdissement le força à se recoucher. Pendant quelques secondes, ses yeux coururent sans se fixer sur les parois rocheuses, le plafond bas et humide, l'ampoule dénudée qui s'y balançait. Puis, prenant appui sur un coude, il se redressa avec prudence pour mieux examiner les alentours. Il n'avait aucune idée de l'endroit où il se trouvait.

— Alixe? Emrys? appela-t-il sur un ton hésitant.

Personne ne répondit. Il appela un peu plus fort. Toujours rien. Apparemment, il était seul. Une boule d'angoisse monta dans sa gorge. Il déglutit plusieurs fois. Il avait la bouche sèche, rêche comme du papier émeri*. Il avisa un verre d'eau déposé près de lui et le vida d'un trait. Il s'aperçut alors qu'il était couché sur une paillasse, à même le sol de terre battue.

Où est donc passé le sac de couchage de Cloche-Pied? se demanda-t-il en quittant très vite le matelas. *Ça doit être plein de puces, ce truc.*

Son regard s'attarda cette fois sur la pièce. Elle ne ressemblait en rien au sous-sol désaffecté où vivait le Gueux qui les avait hébergés. Elle était creusée à même le roc, c'était une véritable caverne. À part la paillasse, il n'y avait qu'une chaise et un coffre débordant de vêtements. Dans un coin, des bouteilles de bière vides voisinaient une toilette sèche, d'où montait une odeur âcre, et un tas de sciure de bois. Mattéo fronça les narines, puis renifla.

— Alixe? Emrys? appela-t-il de nouveau.

Un bruit le fit se retourner.

— Ah, enfin! fit-il en découvrant une ouverture qu'il n'avait pas vue auparavant, puisqu'elle était dissimulée derrière un rideau de plastique foncé que quelqu'un venait de faire coulisser sur sa tringle métallique.

Mais Mattéo n'ajouta pas un mot de plus et resta figé. Un homme d'environ trente-cinq ans s'encadra dans l'entrée. Un Asiatique.

— Merde! Un Chinois… On s'est enfoncés loin! laissa tomber le garçon sans réfléchir.

Le Gueux, car à première vue c'en était un, éclata de rire.

— Eh bien, t'as le sens de l'humour, toi !

L'homme entra dans la caverne et déposa une boîte de polystyrène jaune sur la chaise. Puis, il s'avança en tendant la main à Mattéo, qui recula d'un pas, avant de finalement se ressaisir et de la serrer. Le type avait une bouille ronde et sympathique. Il transpirait la bonhomie et la bonne humeur.

— Sushi ! fit le Gueux aux yeux bridés.

— Euh… Merci, j'aime pas trop les algues ! déclina Mattéo en jetant un coup d'œil sur la boîte.

De nouveau, le Gueux fit résonner son rire aigrelet.

— Ha ! Ha ! Ha ! Sushi, c'est mon nom !

— Oh, pardon ! Mattéo… moi, je m'appelle Mattéo, s'excusa-t-il en fixant l'ouverture, comme s'il s'attendait à voir entrer d'autres visiteurs. Alixe et Emrys sont avec vous ?

— Qui ? fit Sushi en ouvrant la boîte jaune.

Dedans, il y avait effectivement des sushis.

— Ma sœur et mon copain, insista le garçon.

— Désolé, mon gars ! Sais pas de qui tu parles…

Cette fois, ce fut plus qu'une boule d'angoisse qui bloqua la poitrine de Mattéo, ce fut carrément la panique.

— Ma sœur…

Sa voix se brisa. Il inspira très fort. Il ne voulait surtout pas fondre en larmes. Ce n'était pas le moment de se laisser aller, il devait réfléchir.

— Je ne connais pas ta frangine, mon gars ! T'étais tout seul quand je t'ai trouvé…

Sushi sortit une paire de baguettes de sa poche de veste. Il s'assit sur la chaise et s'attaqua sans façon au contenu de la boîte jaune qui reposait maintenant sur ses genoux.

— T'es sûr que t'en veux pas ? Au prix qu'ça coûte, on va pas gâcher de la si bonne nourriture ! fit Sushi en dévisageant son hôte.

Les yeux de Mattéo, paniqués, fouillaient la caverne. Il ne pouvait croire ce que le Gueux disait.

— Si c'est une blague, elle n'est pas drôle…, reprit-t-il, même si, au fond de lui, il avait compris que l'Asiatique ne mentait pas.

— J'ai l'impression que tu ris… jaune ! railla Sushi, se trouvant très spirituel.

Mais Mattéo ne sembla pas porter attention à la tentative du Gueux pour détendre l'atmosphère. Voyant que sa plaisanterie tombait à plat, l'homme, du bout de ses baguettes, tendit un maki à Mattéo.

Bon Dieu, mais qu'est-ce qui se passe ? pensa Mattéo, refusant encore d'un signe impatient. De nouveau, il tâta son pansement autour de sa tête. Il ne savait même pas comment il s'était blessé.

— Je l'ai pas ramassée dans les poubelles, cette bouffe-là ! insista le Gueux. Je travaille dans un resto japonais. C'est pour ça que mes amis gueux m'appellent Sushi. Je suis plongeur.

Mattéo écarquilla les yeux. Ahuri, il lança :

— Plongeur ? ! Vous pêchez du poisson pour un resto japonais ?

Cette fois, Sushi fut pris d'un fou rire incontrôlable. Des larmes lui coulèrent des yeux. Il faillit même s'étouffer avec un grain de riz.

— Ha ! Ha ! Ha ! T'es un sacré numéro, toi !

Des mains, l'homme mima le geste de laver des assiettes.

— Plongeur ! Je fais la vaisselle dans un restaurant.

Mattéo esquissa une moue boudeuse. Il n'aimait pas qu'on se moque de lui. Mais, cette fois, il se rendait compte qu'il l'avait bien cherché.

— Bon, allez, on reprend tout depuis le début ! soupira Sushi, réalisant que Mattéo était vexé et apeuré.

Il se leva, puis déposa la boîte de carton sur la chaise et ses baguettes par-dessus. Il s'approcha de l'adolescent. Ils étaient à peu près de la même taille.

— Je t'ai trouvé, il y a deux heures environ, dans une galerie qui mène à cette grotte. T'étais passablement amoché. J'ai même cru que t'étais mort. T'as le crâne vraiment bien entaillé.

Voyant de la crainte traverser le regard de Mattéo, Sushi ajouta très vite:

— Mais t'inquiète pas, hein?! Tout va bien. C'est pas si grave. J'ai nettoyé la blessure. T'en conserveras juste une petite cicatrice, mais sous ta tignasse, personne n'y verra rien.

Mattéo hocha la tête. Ce n'était pas la cicatrice qui le préoccupait, mais plutôt le fait qu'il ne se souvenait de rien. Que lui était-il donc arrivé dans ce souterrain? Où étaient passés Alixe et Emrys? Avaient-ils été attaqués par les Dâsas? Il avait beau se concentrer, il ne trouvait aucune explication. Son plus récent souvenir remontait au moment où il ramassait le cristal d'Emrys. Après, plus rien. Le vide total. S'était-il blessé dans le noir?

Impossible. Jamais Alixe ne m'aurait abandonné… Elle aurait demandé à Emrys d'aller chercher de l'aide et serait restée avec moi. Ça, c'est clair! Jamais elle ne m'aurait laissé seul. Soudain, la peur revint, plus fulgurante. *Et si les Dâsas avaient capturé Alixe et Emrys?… S'ils ne m'avaient pas vu dans le noir? Non. Impossible. Emrys a dit que les Ténébreux voyaient bien dans l'obscurité. Mais qu'est-ce qui s'est passé, bon Dieu?*

— Faut pas traîner tout seul dans les souterrains, c'est trop dangereux! poursuivit Sushi.

— Mais je n'étais pas tout seul, protesta Mattéo en émergeant de ses pensées. Ma sœur et mon copain…

— C'est pareil ! Trois gamins dans ces souterrains-là, c'est pas prudent ! insista le Gueux. Il s'y passe des choses bizarres…

Le mot « bizarre » alerta Mattéo. Des bizarreries, il en avait eu sa dose depuis que sa route avait croisé celle d'Emrys.

— Des choses bizarres, comme quoi ? voulut-il savoir.

L'Asiatique se détourna pour reprendre sa boîte de sushis. Il était silencieux, comme s'il hésitait à confier quelque chose d'aussi important à un inconnu.

— Faut pas traîner par ici, c'est tout, grommela-t-il finalement en reportant ses yeux sur ses sashimis de thon rouge.

— Si tu veux dire qu'il y a des Dâsas qui rôdent dans le coin, t'inquiète pas, je suis au courant ! reprit Mattéo.

Sushi plissa les paupières en le fixant attentivement. L'itinérant semblait avoir peur, et faisait de grands efforts pour se maîtriser.

— T'en n'es pas un ? demanda le Gueux d'une voix inquiète.

— Certainement pas ! s'exclama Mattéo. J'en connais, c'est tout ! Mais tu as raison, ce ne sont pas des gens fréquentables.

— Pas fréquentables ? Tu veux rire, j'espère ! Ils sont carrément dangereux. Ils nous attaquent. Ces monstres ont battu plusieurs d'entre nous.

Mon copain Cloche-Pied leur doit son surnom. C'est eux qui l'ont estropié…

— Cloche-Pied…, murmura Mattéo.

Il venait d'avoir une idée.

— Peut-être qu'ils sont retournés sur leurs pas pour aller chercher l'aide de Cloche-Pied ?

— Tu connais Cloche-Pied ?! s'écria Sushi, la bouche ouverte et le regard interrogateur.

— Oui, bien sûr !

— Et il ne t'a pas averti ?! Ça ne lui ressemble pas !

— Averti de quoi, bon Dieu ?! Vas-tu finir par me le dire à la fin ? s'emporta Mattéo.

Le Gueux soupira encore, avant de se décider.

— Les Dâsas vivent avec des créatures mauvaises… Très cruelles ! Meurtrières, même. Des mardkoras, que ça s'appelle.

— Mard… quoi ?

— Mardkora…, répéta Sushi qui, à simplement prononcer le nom de la bête, eut la chair de poule. C'est une bête à tête humaine, avec des grands yeux bleus et trois rangées de dents pointues. Elle a une épaisse fourrure rouge, et sa longue queue est hérissée de dards comme un porc-épic… Des dards venimeux qu'elle peut lancer à la vitesse de l'éclair vers sa proie. Elle a la taille d'un cheval…

— Dis donc, Sushi, je ne sais pas si c'est le wasabi qui te monte au cerveau, mais je trouve que t'exagères un brin. Ça n'existe pas, des bestioles comme ça! fit Mattéo, qui refusait de croire à l'existence d'animaux aussi fabuleux.

— Attends d'entendre sa voix, tu vas comprendre. La mardkora a un timbre terrible, qui peut se faire aussi mélodieux qu'une flûte ou plus retentissant qu'une trompette. Rien qu'avec sa voix, cette bête monstrueuse peut t'endormir ou de rendre malade, et même pire… te tuer.

Mattéo dévisagea le Gueux, cherchant à trouver sur ses traits ce petit air ironique qui lui indiquerait que l'homme se moquait de lui. Mais ce fut plutôt de l'effroi qu'il vit. Sushi avait bel et bien été confronté au monstre.

— Tu l'as vue? lui demanda-t-il, pour être sûr.

— Comme je te vois! répliqua Sushi. Et plusieurs fois, en plus. Il y a un souterrain que tous les Gueux évitent comme la peste. Et tu ferais bien d'en faire autant. C'est là que la mardkora se tient… tapie dans le noir, à nous guetter. Dès qu'on approche, on entend d'abord le son qui ressemble à la flûte. Si on s'entête à avancer, c'est le retentissement de la trompette qui fait trembler les parois. Si on n'a pas encore fait demi-tour à ce moment-là, on voit d'abord ses yeux dans le noir… un regard bleu, glaçant. Et si on persiste, eh bien, là, elle apparaît… Elle est énorme!

Mattéo esquissa une grimace. Il avait bien du mal à croire cette histoire.

— Elle t'a déjà attaqué?

— Je lui en ai pas laissé l'occasion! souffla le Gueux. Au début, j'y croyais pas trop non plus. Je pensais que j'avais bu ou mangé quelque chose qui m'avait dérangé le système. Je suis retourné trois fois dans le tunnel, mais chaque fois, elle est apparue. J'ai pas attendu qu'elle me saute dessus, j'te prie de me croire, j'ai pris mes jambes à mon cou. Maintenant, je ne vais plus par là. J'aime mieux faire un grand détour, même si ça me rallonge, plutôt que de passer près du repaire des Dâsas.

Mattéo avala sa salive. Avait-il été attaqué par cette créature? Machinalement, il porta sa main à sa tête. Était-ce pour cela qu'il ne se souvenait pas de ce qui lui était arrivé dans le souterrain? La peur avait-elle provoqué son amnésie? Il fouilla ses souvenirs à la recherche d'un indice. En vain.

Il secoua la tête pour chasser ces folles pensées. Il n'avait aucune autre blessure apparente. Ses mains étaient sales, certes, mais pas du tout abîmées. Ses vêtements n'étaient pas déchirés. S'il était tombé sur une mardkora, et si celle-ci était bien la créature monstrueuse décrite par Sushi, il n'aurait eu aucune chance de s'en tirer indemne. Cette pensée lui donna des sueurs froides. Brusquement, la panique revint.

— Alixe! cria-t-il. Il faut aller à ce souterrain… Emmène-moi!

Il tira le rideau de plastique pour sortir.

— Hé, un instant! le rattrapa Sushi. Tu cours où comme ça? Je me suis juré de ne pas remettre les pieds là-bas; tu me forceras pas à y retourner.

— Tu ne comprends pas! Ma sœur… Il faut empêcher ma sœur et Emrys de s'approcher de ce monstre.

— Emrys?! Attends une seconde. Tu parles bien d'Emrys, l'Arya? l'interrogea le Gueux, les yeux écarquillés.

Mattéo pivota vers lui, plutôt furieux.

— Je croyais que tu ne le connaissais pas…

— Je n'ai rien dit de tel. Tu n'as jamais mentionné le nom de ton ami… Je lis pas dans les pensées, moi!

— Mais oui! Lire dans les pensées! Emrys peut le faire, lui… Triple idiot! Pourquoi n'y ai-je pas pensé avant?

Mattéo ferma les yeux et tenta de calmer les battements de son cœur. Il inspira et expira profondément.

— Qu'est-ce que tu fais? chuchota Sushi.

— Je contacte Emrys… Euh, enfin, j'essaie de lui signaler que je suis là… Euh… bon, je sais pas trop! Ça va peut-être marcher… Ouais, ou peut-être pas. Je ne sais même pas si les ondes cérébrales peuvent traverser des grosses parois de granit comme ça…

Mattéo sentit alors le découragement l'envahir et il cessa de se concentrer. Il avait les larmes aux yeux lorsqu'il lança un regard suppliant à son hôte. Ce dernier secoua la tête.

— OK. Je veux bien t'emmener en direction du souterrain maudit… Mais je te préviens : quoi qu'il arrive, j'y mettrai pas un orteil, déclara le Gueux en poussant Mattéo dans l'ouverture derrière le rideau. Si ta sœur et Emrys y sont entrés, t'iras les chercher tout seul. C'est bien compris?

Mattéo hocha la tête.

— Je suis trop gentil, moi, murmura Sushi pour lui-même. C'est toujours ça qui m'a joué des tours. Pas capable de dire non.

— Merci, Sushi! fit Mattéo en se frottant les yeux du revers de la manche sale de son manteau.

L'adolescent et le Gueux sortirent. Avant que le rideau ne se referme derrière eux, Sushi jeta un regard dans sa caverne, comme s'il craignait de ne jamais y revenir.

CHAPITRE 9

Sushi passa le premier en brandissant sa lampe de poche comme s'il s'agissait d'une arme. Le halo jaune dansait sur les parois rocheuses. Le Gueux était agité. Si Mattéo n'avait pas été un ami d'Emrys, jamais il n'aurait accepté de le guider vers le couloir de tous les dangers.

Pour sa part, privé de la lumière blanche du cristal d'Emrys pour éclairer les souterrains, Mattéo ressentit une terrible et angoissante impression d'écrasement. Au-dessus de lui s'amassaient des milliers, voire des millions de tonnes de roc ; jusqu'à ce moment précis, il ne l'avait pas réalisé. Inconsciemment, il rentra la tête entre ses épaules. Ses yeux faisaient des allers-retours inquiets entre le plafond bas, qu'il craignait de heurter une fois encore, et le sol par trop inégal, redoutant de s'y tordre les chevilles. Mais ce qui le rendait le plus mal à l'aise, c'était d'imaginer que toute cette masse pouvait s'écrouler sur lui. N'eût été de son désir plus fort que tout de retrouver sa sœur, il aurait exigé que Sushi le ramène à la surface.

Par ailleurs, les racontars fantastiques de Sushi l'avaient suffisamment impressionné pour qu'il imagine, fixé entre ses omoplates, le regard maléfique de quelque monstre tapi dans le noir. Il ne cessait de jeter de rapides coups d'œil autour lui, au cas où. Simultanément, il cherchait un indice, une trace du passage d'Alixe et Emrys. Mais c'était à croire que sa sœur et le jeune Arya n'avaient jamais mis les pieds dans les entrailles de la terre, car l'adolescent ne trouvait aucun élément pour lui indiquer qu'ils étaient passés par ici ou par là.

Tout à coup, sans que rien ne laisse présager que quelque chose allait se passer, il entendit clairement dans ses pensées :

Arrête de t'agiter, tu vas finir par attirer l'attention des Dâsas sur toi.

Ce fut plus fort que lui. Il cria :

— Emrys !

Sushi pila net et se retourna. Emrys était là, près d'eux, dans le halo de la lampe de poche. Ils ne l'avaient pas entendu arriver.

— Alixe ? ! s'inquiéta Mattéo.

— Arrête de beugler comme un veau… je suis là ! murmura l'adolescente en émergeant de l'ombre.

Si son ton était sévère, le visage de sa sœur était illuminé de soulagement. Vivement, elle attira son petit frère dans ses bras et laissa libre cours aux larmes qu'elle retenait depuis sa surprenante disparition.

— Ne fais plus jamais ça ! le gronda-t-elle.

— Faire quoi ?

— Disparaître sans crier gare !

— Tu penses que je l'ai fait exprès, peut-être ?…

Puis, se tournant vers Emrys :

— Et toi, t'as intérêt à me donner de bonnes explications. Vous étiez où ? Pourquoi m'avez-vous abandonné ?

— Mais c'est pas…, intervint Alixe, promptement coupée par Mattéo, furieux.

— C'est lui ! Je suis sûr que c'est lui qui a décidé de me laisser tout seul. T'es inconscient, ma parole ! cracha-t-il au visage du jeune Arya, imperturbable.

— Calme-toi ! tenta Alixe, aussitôt rembarrée par un regard noir de son frère.

Emrys dévisageait l'adolescent. À première vue, Mattéo ne semblait se souvenir de rien. Le jeune Arya se dit que c'était tout aussi bien. Si le moindre souvenir de ce qu'il avait vu à Shamballa s'était incrusté dans sa mémoire, l'existence de Mattéo en aurait été irréversiblement perturbée pour le reste de ses jours. C'était déjà difficile pour Mattéo d'admettre qu'Emrys venait d'ailleurs. Que dire alors s'il s'apercevait que lui-même avait été transporté dans cet ailleurs auquel il ne pouvait véritablement croire !

Rien de ce qu'on lui avait enseigné concernant le passé de la vie humaine terrestre ne l'avait préparé à côtoyer une civilisation plusieurs fois millénaires aujourd'hui oubliée. Le choc émotif aurait pu se révéler catastrophique. C'était une chose que d'écouter un récit à la limite de la science-fiction, mais c'en était une autre de se retrouver acteur de cette odyssée fantastique !

Mais Emrys était soulagé. Agni avait bien pris soin d'effacer la mémoire de Mattéo avant de le renvoyer dans son monde. Il y a certaines vérités que les deux enfants Langevin devaient découvrir sur les mondes oubliés, mais cela devait se faire avec précaution, petit à petit, en temps et lieu, et sans bousculer trop radicalement leurs concepts et leurs croyances. Qu'ils acceptent l'existence des Aryas et des Dâsas dans leur monde était un premier pas. *Tout le reste, ils le découvriront lorsqu'ils seront prêts. Il ne faut pas brûler les étapes*, songea Emrys.

L'irruption de Mattéo à Shamballa n'était que le fruit d'un accident qui avait ouvert les yeux du jeune Arya. Il devrait redoubler de prudence pour que de tels événements ne se reproduisent pas.

Voir dans l'avenir n'était que l'une des nombreuses capacités insoupçonnées d'Emrys; il pouvait tout autant savoir ce qui s'était déroulé dans le passé, même s'il n'en avait pas été témoin. Instinctivement, il savait ce qui était arrivé à Mattéo lorsque les membres du conseil l'avaient réexpédié dans son monde. Le lieu de son retour n'avait pas été choisi au hasard. Les Savants ne pouvaient envoyer Mattéo directement dans la Salle du Cristal, car l'énergie contenue dans la pièce les en empêchait. Au lieu de cela, ils l'avaient déposé à quelques mètres seulement de l'entrée, en espérant qu'attiré par la lueur qui s'en dégageait, le garçon s'y dirigerait sans tarder pour y attendre Emrys et Alixe. Mais, manque de chance, Mattéo s'était assommé, et Sushi, qui avait une peur terrible du souterrain maudit, comme il l'appelait, avait traîné l'adolescent dans son antre pour le soigner au lieu de le conduire à bon port, l'éloignant du même coup de l'endroit qui aurait été le plus sûr pour lui.

Qu'ils se retrouvent maintenant, tous les trois, dans ce tunnel en particulier, n'était pas le fruit du hasard. La Salle du Cristal était à quelques pas, il leur suffisait de se rendre au fond de la galerie et de tourner à droite pour y parvenir.

— Chut ! fit alors brusquement Sushi, que le trio semblait avoir oublié.

Quelques notes d'une petite mélodie aigrelette atténuée par la distance leur parvinrent.

— La flûte ! chuchota le Gueux.

Il pointa sa torche devant lui, au fond de la galerie. Rien ne bougeait.

Les yeux hagards et la voix chevrotante de peur, Sushi se tourna vers Mattéo.

— Fichons le camp ! C'est la mardkora !

Il n'attendit aucune réponse et détala sans demander son reste, plantant le trio sur place. Privé de l'éclairage de la lampe de Sushi, Mattéo constata que le cristal d'Emrys brillait très faiblement.

— Tu pourrais faire plus de lumière, grommela-t-il.

— Impossible… Le cristal est presque déchargé, répondit Emrys. Mais nous sommes tout près du but. Allons-y !

Mattéo hésita. L'Arya n'avait pas satisfait sa curiosité. Il voulait savoir ce qui leur était arrivé pendant ces quelques heures où ils avaient été séparés. Mais constatant que la lueur du cristal s'éloignait et qu'il allait se retrouver dans l'obscurité, il se joignit au duo.

Ils se dirigèrent vers le fond de la galerie – vers la source de la mélodie, sembla-t-il à Mattéo. Il attrapa sa sœur par le bras et chuchota:

— Il ne faut pas aller par là. C'est dangereux! Il y a une créature…

Alixe fronça les sourcils, puis lui adressa un petit sourire pour l'encourager à avancer, comme si elle cherchait à calmer un enfant effrayé par le monstre qu'il imaginait caché sous son lit. Mattéo se sentit ridicule. Mais il entendait encore la description que Sushi avait faite de la bête. Et la douce mélodie de flûte confirmait au moins cette partie du récit du Gueux.

Emrys demeurait impassible, confiant, se faufilant dans le passage qui rétrécissait au fur et à mesure qu'ils s'y enfonçaient. Bientôt, ils durent avancer légèrement de biais, car le goulet n'était plus tout à fait de la largeur de leurs épaules. Le son de la flûte emplissait maintenant tout l'espace, mais l'Arya ne s'en formalisait pas, au contraire de Mattéo, qui clignait sans cesse des yeux tant il demeurait attentif à la plus petite ombre fuyant le halo blafard du cristal. Il avait vraiment la trouille. Si Alixe ne s'était pas trouvée derrière lui pour le forcer à avancer, il aurait choisi de faire demi-tour dans le noir plutôt que de continuer à cheminer dans cette direction.

Tout à coup, la musique cessa brusquement. Puis, d'abord très assourdi, un roulement sembla monter du sol. Mattéo en ressentit la vibration dans ses pieds, puis dans ses jambes entières. Même l'air autour d'eux frémit lorsque la trompette jeta ses sons ressemblant au barrissement d'un éléphant furieux. Alixe et Mattéo, au bord de l'affolement, regardèrent autour d'eux pour tenter de voir d'où venait le danger, mais Emrys, rassurant, leur sourit.

— Sushi a dit que c'était un avertissement ! fit Mattéo sur un ton geignard. Fichons le camp !

Il poussa Alixe pour la forcer à reculer, mais Emrys intervint.

— N'ayez pas peur ! Ce ne sont que des illusions auditives, rien de plus. Il n'y a ni flûte ni trompette. Ce n'est qu'un tour des Ténébreux pour éloigner les curieux.

Mattéo et Alixe le dévisagèrent. Pour eux, ces sons étaient terriblement réels, surtout celui de la trompette qui leur faisait mal aux oreilles.

— Mais… Sushi dit que la mardkora protège leur repaire, et toi, il y a quelques minutes, tu disais qu'on était tout près de la Salle du Cristal. Faudrait savoir ! On est dans un tunnel qui s'en va vers un lieu occupé par les Dâsas ou on se dirige vers un endroit protégé par les Aryas ? bougonna Mattéo.

— Les Ténébreux utilisent aussi la Salle du Cristal, laissa tomber Emrys.

Le frère et la sœur demeurèrent interdits une seconde.

— Redis ça… pour voir ! fit Mattéo.

— Faites-moi encore un petit peu confiance ! Je vous expliquerai tout quand nous serons dans la Salle du Cristal.

— Ah oui ? ! Quand nous serons dans la gueule du loup, tu veux dire ! Si les Dâsas l'utilisent, ça veut dire qu'on peut y rencontrer Ankel, ou pire, Vitra…, répondit abruptement Mattéo. Tu serais pas en train de nous jouer un tour de cochon, toi ?

— Mattéo ! s'exclama Alixe. Il me semble qu'Emrys a largement prouvé qu'il est notre ami.

— J'en suis pas aussi sûr que toi, sœurette ! Nos parents ont été kidnappés, supposément par des Dâsas… Et maintenant, nous suivons cet énergumène je ne sais trop où, en mettant – de notre plein gré, je te le signale en passant – notre vie entre ses mains. Qui te dit qu'ils ne sont pas tous membres de la même bande et qu'ils ne veulent pas seulement nous retenir ? Tiens, ça m'étonnerait pas que, bientôt, ils réclament une rançon à grand-père !

— Eh bien ! T'as pris un sacré coup sur la tête ! fit Alixe en avançant la main vers le bandage de gaze dont Sushi avait entouré le crâne de son frère.

Il repoussa sa main d'un geste agacé.

— Ouais ! Tu verras… On en reparlera !…, murmura Mattéo. Mais ce sera trop tard pour se plaindre quand on sera ligotés comme des saucissons dans une oubliette !

— Une oubliette ?! Pfff ! N'importe quoi ! Allez, avance ! laissa tomber Alixe en le poussant devant elle.

Emrys ouvrant toujours le chemin, ils arrivèrent bientôt aux trois quarts de la galerie.

— Aaaaaaaaaaaah ! hurlèrent soudain en chœur Alixe et Mattéo.

Ils se recroquevillèrent l'un contre l'autre en tentant de faire marche arrière. Mais derrière eux, dans le noir, jaillit une paire d'yeux bleus brillant comme des lucioles. Devant, la vision était encore plus effroyable. Deux grandes mandibules armées de trois rangées de crocs recourbés, effilés comme des lames de rasoir, laissaient entendre des claquements secs et menaçants. La bête arborait une crinière vermillon fournie, comme celle d'un lion. Son visage, quoique d'aspect humain, était déformé de rage. Ses yeux bleus perçants étaient fixés sur le trio. Lorsque la créature bougea de côté, Mattéo distingua sa queue en forme de dard de scorpion, hérissée de centaines d'aiguillons prêts à en jaillir. Alixe, pour sa part, remarqua les larges ailes de chauve-souris qui s'ouvraient sur son dos. Sushi n'avait pas menti : le monstre avait la taille d'un cheval.

Si Emrys semblait être d'un calme olympien, Alixe et Mattéo étaient incapables de se contenir. Ils hurlaient en tremblant de tous leurs membres. Ils étaient glacés de la tête aux pieds.

— Tu me crois maintenant ? pleurnicha Mattéo en détournant le visage pour ne plus voir cette horreur.

Alixe ne répondit rien, mais elle le serra plus fort contre elle.

— C'est une illusion d'optique, leur lança Emrys en poursuivant sa route vers la bête qui claquait des mâchoires avec un bruit qui ressemblait au tac-tac-tac du pivert contre un tronc vermoulu.

Alixe et Mattéo avalèrent leur salive, mais ils n'étaient pas du tout rassurés.

— Non, Emrys ! cria l'adolescente pour freiner sa progression.

Le jeune Arya se dirigeait tout droit vers les mandibules meurtrières qui pouvaient le déchiqueter en quelques secondes.

— Elle n'existe pas ! reprit Emrys. La mardkora n'est que la somme des peurs ancestrales humaines. Des mandibules acérées, des ailes de chauve-souris, un corps de lion, un dard de scorpion… Rien de tout cela n'est vrai. Les Dâsas se servent de ces craintes millénaires pour créer des illusions auditives et optiques.

— Mais… mais tu la vois toi aussi! murmura Alixe.

— Non. Je ne vois rien dans ce tunnel…, soupira Emrys. Cette illusion n'a aucune prise sur moi parce que je ne lui accorde que l'importance qu'elle mérite, c'est-à-dire aucune. Allez, venez, faites-moi confiance! Ces illusions ont été inventées, si je peux dire, lors de la guerre des Aryas contre les Géants.

À cet instant, Mattéo fronça très fort les sourcils. Emrys leur avait déjà raconté que les Aryas et les Géants en étaient venus à combattre, mais cette fois, il avait ressenti une vague impression de déjà-vu, un sentiment d'étrangeté et de familiarité, en entendant Emrys faire référence à la guerre entre les Savants et les Namlù'u. Mais il était incapable de retrouver un souvenir se rattachant à cette sensation.

Emrys se retourna vers lui. Il avait capté cette fugitive perception dans les pensées de l'adolescent. Le stress pouvait parfois faire remonter à la surface des événements déjà vécus et depuis longtemps oubliés. Malgré toutes les précautions prises par Agni pour effacer la mémoire de Mattéo, de fugaces traces de ce qu'il avait vu à Shamballa étaient apparemment restées inscrites dans son subconscient. Et elles le resteraient à jamais. La peur ressentie par Mattéo devant l'illusion de la mardkora lui en donnait la preuve.

CHAPITRE 10

— C'est étrange, murmura Mattéo à l'oreille de sa sœur. Emrys vient de parler de la guerre à Shamballa, et j'ai eu l'impression de l'avoir vécue moi-même !

— Wow, c'est pire que ce que je croyais !

Devant l'air fâché de son frère, elle adoucit ses propos :

— Tu as dû faire un cauchemar pendant que tu étais évanoui, reprit-elle, sans toutefois prendre trop au sérieux les paroles de son frère.

— Penses-tu qu'à cause du coup… euh, je serais capable, moi aussi, de lire dans le passé, comme Emrys ? Ou mieux, dans l'avenir !

— N'exagère pas, quand même !

— En tout cas, j'ai vraiment eu un flash ! J'ai vu des boules de feu… Ç'avait l'air tellement vrai !

Mine de rien, Emrys, légèrement inquiet, écoutait attentivement les propos de Mattéo. Certes, il avait été envoyé dans ce monde pour dévoiler les savoirs oubliés, mais les deux enfants Langevin n'étaient pas encore prêts à découvrir des connaissances aussi surprenantes que la possibilité de s'incarner dans un autre corps que le sien. Pour le moment, le jeune Arya devait désamorcer les tentatives de Mattéo pour réveiller ses capacités mentales.

— Comme tu l'as dit, ce n'est qu'une impression, intervint-il. Ton cerveau a des ressources que tu ne peux même pas soupçonner. Par exemple, dans un très court laps de temps, il peut déterminer si certains éléments dans ton environnement concordent avec des expériences que tu as déjà vécues. Ça lui permet ainsi de savoir si une situation a déjà eu lieu ou non. C'était une faculté qui était très importante, il y a des millénaires, pour réagir face à un éventuel danger. Comme cela fait plusieurs fois que je te parle des conflits qui ont opposé les Géants aux Aryas, ton cerveau a analysé la situation, s'est créé des images en puisant des indices dans mes récits… Et maintenant, tu peux avoir l'impression que tout cela t'est familier, que tu l'as vu toi-même de tes yeux.

Mattéo dévisagea Emrys. Il savait que le cerveau humain était une redoutable machine, plus puissante que n'importe quel ordinateur, mais d'en avoir eu une démonstration aussi flagrante lui semblait très inhabituel. En fait, cela ne lui était jamais arrivé auparavant.

— Tu vois, Mattéo, ce n'est pas parce que tu as pris un coup sur le ciboulot que tu peux devenir un génie ou lire dans l'avenir, se moqua Alixe.

— Tu veux donc dire que mon cerveau a créé cette impression de déjà-vu en réagissant à tes paroles, à cause d'un rêve que j'aurais oublié, ou parce que j'ai imaginé des séquences en écoutant ton récit…, résuma Mattéo sans s'occuper de sa sœur.

— Exactement ! fit Emrys. Cet étrange mécanisme peut parfois te donner l'impression que tu peux décrire ce qui va se passer dans un futur rapproché, mais ce n'est qu'une illusion. C'est le même processus lorsque tu arrives dans un endroit inconnu et que tu crois y être déjà venu, alors que tu sais très bien que tu n'y as jamais mis les pieds. Ton cerveau capte certains points communs entre ce lieu et des endroits que tu as déjà visités, puis établit des connexions entre les deux, ce qui peut te faire croire que tu reconnais cet endroit sans y être jamais venu.

— Ah…, dommage ! soupira l'adolescent. Pendant quelques secondes, j'ai vraiment espéré que je pouvais voir ce qui allait arriver ou s'était déjà passé…

— Il a fallu des millénaires aux Aryas et aux Dâsas pour développer ces capacités, mais il ne faut pas désespérer, le consola Emrys.

— En tout cas, toi, t'as de la chance…, murmura Mattéo. En sachant un peu d'avance ce qui peut survenir, tu as tout un avantage. Tiens, par exemple… ce serait chouette si tu pouvais nous donner les prochains numéros du loto.

— Mattéo… t'es vraiment nul! laissa tomber Alixe.

— Quoi?!

— Emrys te parle de choses sérieuses… des capacités du cerveau humain, et toi, tout ce que tu trouves à dire, c'est des âneries. Tu es désespérant!

Comme chaque fois qu'il se sentait en position d'infériorité face à sa sœur, il recourut à son onomatopée préférée pour tenter de mettre un terme à l'échange.

— Gnangnangnan! maugréa-t-il.

Mais le sujet semblait passionner Alixe, qui relança la discussion.

— Est-ce que notre cerveau est vraiment capable de lire dans l'avenir, ou bien ceux qui le prétendent aujourd'hui ne sont-ils que des charlatans? demanda-t-elle.

— Certaines personnes ont effectivement des capacités plus développées que d'autres dans ce domaine, mais actuellement personne n'a atteint le degré de précognition des Aryas et des Dâsas.

— Précognition ? répéta Mattéo.

— C'est la faculté de déterminer de façon précise un événement à venir. On dit aussi prémonition.

— Si tu connais les événements qui vont survenir, c'est facile pour toi d'éviter le danger, alors ? reprit l'adolescent.

— Oui et non ! Il y a certaines choses que j'arrive à percevoir, des situations qui vont se présenter dans les quelques secondes, les quelques minutes à venir… Par exemple, je peux savoir si un Dâsa est tout près. Mais pour savoir d'avance ce qui va se passer dans une journée, une semaine ou un mois, là, c'est vraiment plus compliqué. En général, les Savants ont recours au miroir arya pour tenter de percer les secrets de l'avenir et, dans ce cas-là, on parle plutôt de clairvoyance.

Alixe fit une moue étrange à l'énoncé des mots « miroir arya », et Emrys précisa :

— C'est une sphère de cristal poli.

— Wow ! Génial, Nostradamus ! Tu peux lire dans une boule de cristal ? s'esclaffa Mattéo, au grand désespoir de sa sœur qui secoua doucement la tête avec un air découragé.

— À propos de cristal, nous voilà arrivés ! fit Emrys en débouchant le premier dans une vaste salle brillamment éclairée d'une lumière rosée.

Époustouflés par le spectacle qui se dévoilait à eux, Alixe et Mattéo demeurèrent figés sur le seuil de la caverne. Une forêt de cristaux gigantesques, comme un défi à l'imagination, offrait à leurs yeux un monde irréel fait de longues tiges claires et transparentes. Certains cristaux blancs à facettes se dressaient jusqu'à quinze mètres du sol, comme de colossales épées pointues et tranchantes. La salle souterraine, presque circulaire, mesurait environ deux cents mètres de diamètre. La lumière dansait sur les milliers de cristaux de gypse comme sur un kaléidoscope réfléchissant à l'infini la lumière et les couleurs. Dans certains endroits de la grotte, des centaines de bâtons de ce cristal appelé sélénite formaient un immense jeu de mikado, tandis que d'autres semblaient avoir été disposés de manière plus ordonnée par la main d'un architecte inconnu. Alixe remarqua que des petits nuages de vapeur émanaient de ces amas translucides. L'humidité de la salle était si dense qu'elle en était palpable. C'était un lieu très inconfortable.

Emrys s'avança et fit signe à ses deux amis de le suivre. La Salle du Cristal n'était pas un lieu nouveau pour lui, néanmoins il était toujours aussi émerveillé par sa splendeur. Il se dirigea sur sa droite, vers une petite cavité dans laquelle étaient creusées des avancées en forme de sièges. Il invita les deux autres à s'y asseoir. Ici, au contraire de la salle principale, l'humidité semblait étrangement contrôlée, et la chaleur leur fut même agréable, après leur longue errance dans des tunnels plutôt frais.

— Vous ne pouvez pas aller plus loin, leur dit-il. La Salle du Cristal est protégée par un champ de force que vous ne pourrez pas franchir. Restez ici. Je dois aller recharger mon médaillon…

Comme Mattéo ouvrait la bouche pour protester, le jeune Arya le devança :

— N'aie aucune crainte. Je suis tout près. D'ici, vous pourrez me voir… mais vous ne pouvez pas m'accompagner. C'est une question de sécurité.

— Pourquoi est-ce dangereux pour nous et pas pour toi ? s'enquit Mattéo.

— Je vous ai dit que mon cristal est une clé. Il me permet de franchir ce champ de force. Près des cristaux, la température peut monter jusqu'à soixante-dix degrés Celsius, et le taux d'humidité y est de cent pour cent. Sans la protection d'un cristal, il est impossible de survivre plus de quelques minutes dans cet environnement.

Emrys jeta un coup d'œil à son pendentif. La lumière qu'il émettait était si faible que le cristal était presque devenu opaque.

— Je dois me dépêcher ! Je vais placer mon cristal et je reviens. Il faudra environ une dizaine de minutes pour le recharger, et ensuite nous pourrons repartir. Ne bougez pas d'ici, je reviens tout de suite !

Emrys s'avança vers l'amas de cristaux, visiblement conçu par un être intelligent, se dit Alixe. En observant les longs bâtons clairs, la jeune fille crut discerner un agencement qui lui fit penser à une machine, bien que sa forme ne lui rappelât rien de connu. Emrys se tourna vers eux et leur sourit. Puis, il retira son pendentif et le plaça au centre d'une géode* de couleur violette d'environ un mètre de diamètre. Il fit demi-tour pour sortir de la zone d'influence des cristaux.

Soudain, Max Ankel fit irruption dans la Salle du Cristal. Le Ténébreux s'arrêta net en apercevant Emrys. Visiblement, il ne s'attendait pas à trouver son ennemi à cet endroit. Aussitôt, il remarqua le pendentif dans la géode et esquissa un sourire mauvais. C'était le moment de saisir sa chance. Privé de son cristal, Emrys n'avait pas les capacités de résister bien longtemps à l'atmosphère toxique générée par les cristaux géants. Comprenant les intentions du Dâsa, Emrys sut qu'il devait récupérer son pendentif. Mais il était trop tard. Il n'eut pas même le temps de retourner près de la géode.

En une fraction de seconde, Ankel extirpa sa propre amulette de sous son manteau rouge pour ouvrir le champ de force devant lui. Sa pierre, un cristal rouge, irradiait faiblement. Apparemment, il était venu lui aussi faire le plein d'énergie.

Le Dâsa se jeta sur Emrys et tous deux roulèrent à terre. Le but d'Ankel était d'obliger son adversaire à rester prisonnier dans le cercle d'ondes invisibles et à y épuiser ses dernières forces. L'énergie dégagée par les cristaux était si puissante qu'elle priverait bientôt Emrys de toutes ses capacités. Max Ankel n'avait qu'à se montrer patient ; le jeune Savant serait bientôt à sa merci. Incapable de réagir à ses attaques, il dépérirait petit à petit, sans espoir de recouvrer ses forces.

Mais Emrys n'entendait pas se laisser mourir sans résister. Il était même déterminé à vaincre son ennemi qui, bientôt, se retrouverait à son tour affaibli par la toxicité des cristaux. L'Arya voyait très distinctement la pierre rouge tressauter sur la poitrine d'Ankel. Elle n'en avait plus pour longtemps et allait s'éteindre rapidement. Le jeune Arya se débattit avec l'énergie du désespoir tandis que le Ténébreux tentait de l'immobiliser au sol. Malheureusement, il était beaucoup moins costaud que son adversaire et il eut rapidement le dessous.

Voyant Ankel s'en prendre à leur ami, Alixe et Mattéo bondirent sur leurs pieds et s'élancèrent pour aider Emrys, mais ils entrèrent en collision avec un mur invisible. Le champ de force les projeta à terre. Ils eurent le sentiment d'avoir été frappés en pleine poitrine. Ils se relevèrent avec difficulté, tout étourdis.

— C'est impossible de franchir ce mur d'énergie sans un cristal de roche pour nous servir de clé, constata Alixe d'une voix tremblante.

Mattéo confirma de la tête. Impuissants et atterrés, ils assistèrent à la raclée qu'Ankel infligeait à leur ami. Après quelques minutes, Mattéo jugea qu'il ne pouvait rester là sans rien faire. Il devait franchir cette maudite muraille invisible. Il se jeta à plat ventre pour tenter de passer sous le champ de force. Mais ce n'était pas possible. Le mur infranchissable se dressait devant eux du sol de gypse opaque jusqu'au plafond de sélénite rosé.

Ils virent Ankel relever Emrys en le tenant à la gorge, puis le projeter à plusieurs mètres de lui. Le jeune Arya tomba lourdement sur le dos. La chute fut si rude qu'il peina à se redresser pour éviter une nouvelle attaque. Déjà, son adversaire se précipitait sur lui. Emrys trouva assez de ressources pour rouler sur lui-même au moment où Ankel, un genou en avant, allait se laisser tomber de tout son poids sur sa poitrine. Le Ténébreux hurla lorsqu'il heurta violemment le sol de gypse durci. Emrys profita de cette seconde de liberté pour ramper vers la géode afin d'y reprendre son talisman. Enragé par l'esquive de son adversaire et par la douleur, Ankel attrapa Emrys par un pied et le tira vers lui. Puis, il le souleva sans ménagement. Le visage du Dâsa était déformé de rage. Affaibli, Emrys transpirait à grosses gouttes. Le combat était inégal. Son adversaire ne lui laissait aucun répit. Lui, il ne savait pas se battre au corps à corps. Et ici, toutes ses facultés mentales étaient paralysées. L'énergie des cristaux faisait obstacle aux ondes cérébrales.

Ankel le roua de coups de poing et de pied. Affolés, Alixe et Mattéo tournaient tout autour de la Salle du Cristal, cherchant une faille dans la muraille qui les empêchait de se porter au secours d'Emrys. Mais c'était peine perdue. Le champ de bataille était hermétiquement clos.

Ankel secoua Emrys, puis le projeta vers un épi de cristal. Le jeune Savant s'écroula tout juste au pied des facettes tranchantes. Il était épuisé. Ses yeux se tournèrent vers Alixe et Mattéo qui, une fois de plus, venaient d'être repoussés par le champ magnétique. La demi-sphère où son cristal brillait de mille feux s'imposa alors à ses pupilles vitreuses. Son pendentif était presque rechargé. C'était sa seule chance de survie. Il se releva péniblement et se jeta sur la géode. Au moment où ses doigts se refermaient sur son talisman, Ankel le souleva de terre et le rejeta brutalement à plusieurs mètres de distance. Emrys tomba sur le côté droit et son bras heurta durement le sol. Il lâcha son cristal, qui roula en dehors du bouclier magnétique.

Mattéo, qui n'avait pas perdu de vue un seul geste des deux belligérants, ne fit ni une ni deux et se jeta sur le pendentif.

— Noooon ! hurla Alixe, craignant de voir encore son petit frère se volatiliser.

Mais sans réfléchir, Mattéo s'élançait déjà contre le bouclier invisible en brandissant le cristal devant lui. Dès qu'il l'eut franchi, une bouffée de chaleur humide le cloua un instant sur place. Il eut l'impression d'être entré dans un sauna.

À cet instant, Emrys se releva, visiblement ébranlé. Au lieu de s'éloigner d'Ankel, il s'en rapprocha. Il avait perdu tout sens de l'orientation, et ses mouvements étaient saccadés et désynchronisés. Il tanguait comme un homme ivre. L'environnement toxique à l'intérieur du champ de force nuisait à sa motricité et l'empêchait de réfléchir. Une grande confusion était en train de s'emparer de son esprit. Les muscles de ses jambes et de ses bras le faisaient atrocement souffrir. Il ressentit même des crampes intolérables dans son abdomen. Il transpirait abondamment et avait peine à respirer.

Alixe, pour sa part, se promenait de long en large derrière le bouclier, criant à Mattéo et à Emrys de venir vers elle, mais les deux garçons ne réagirent pas à ses appels. Avant qu'Ankel ne change d'adversaire et ne s'en prenne à lui, Mattéo courut vers son ami et, d'un geste vif, lui passa le pendentif autour du cou.

Dépossédé de cet objet protecteur, Mattéo ressentit immédiatement les effets de la chaleur extrême qui régnait dans ce lieu. Il se mit à transpirer abondamment. Un mal de tête affreux compressa ses tempes et il eut de violentes nausées. S'il ne s'éloignait pas des cristaux, il allait perdre connaissance. La température interne de son corps était en train de monter, et pourtant, il sentait sa peau devenir glacée.

Grâce à son cristal, Emrys retrouva peu à peu ses esprits. Mais Max Ankel n'avait pas dit son dernier mot. Il avait un compte à régler avec Mattéo qui, par deux fois déjà, était intervenu pour protéger l'Arya. Le Dâsa changea donc temporairement de tactique. Il chargea Mattéo comme un taureau enragé. Cependant, il ne s'était pas rendu compte que, depuis plus d'une minute, sa pierre rouge avait perdu tout éclat. Ses mouvements devinrent mal coordonnés.

Dans sa course, il trébucha et s'étala de tout son long. Cette chute inespérée donna le temps à Emrys de rattraper Mattéo, qui était en train de faire une syncope. Le jeune Arya consacra le peu de vigueur qui lui était revenu à le soutenir et à le tirer de l'autre côté du bouclier. Ils s'écroulèrent tous les deux devant Alixe.

— Il faut sortir de la Salle du Cristal, balbutia Emrys en se relevant péniblement.

Alixe et lui prirent chacun Mattéo sous un bras et avancèrent pas à pas en dehors de la caverne. Emrys se retourna pour regarder derrière lui. Ankel s'était hissé à la hauteur de la géode et, d'un geste lent, y glissait sa pierre rouge. Puis, le Dâsa retomba, évanoui.

CHAPITRE 11

— Au fond, à droite…, indiqua Emrys d'une voix rauque.

Sa gorge était en feu.

Alixe et le jeune Arya traînèrent péniblement Mattéo sur une cinquantaine de mètres. À bout de souffle, ils débouchèrent dans une salle fraîche parcourue par une rivière souterraine.

L'action conjuguée de l'eau et du temps avait façonné une merveille dans les entrailles de la terre. Alixe resta bouche bée devant ce dédale de stalactites, de stalagmites et de larges draperies de formes et de couleurs variées.

— Wow! On dirait des œuvres d'art…, chuchota-t-elle, comme si elle craignait de voir cette féerie naturelle disparaître sous ses yeux.

Sa surprise était totale devant ce paysage de voutes monumentales, de piliers, de colonnes de toutes tailles et de concrétions cristallines se dressant au-dessus et tout autour d'une rivière peu large, mais aux eaux pures et calmes.

Ils déposèrent doucement Mattéo près d'une cuvette d'eau émeraude et s'accroupirent près de lui. Alixe déchira une manche du chemisier blanc qu'elle portait sous son manteau, puis la trempa dans l'eau glacée et entreprit de réveiller son frère en tapotant son visage écarlate. L'intense chaleur qui se dégageait des cristaux avait bien failli avoir raison de sa vie.

Après quelques minutes, l'adolescent ouvrit les yeux. Sur le coup, il ne sembla pas savoir où il se trouvait, mais bien vite, une partie des événements lui revint en mémoire. Un frisson le parcourut.

— Et Emrys? demanda-t-il à sa sœur, penchée sur lui.

— Je suis là, répondit l'Arya qui était en train de boire dans le creux de ses mains, à petites lampées, l'eau glaciale de la cuvette.

Il y plongea ensuite son visage pour soigner ses ecchymoses. Il ne doutait pas que, bientôt, ses pommettes et son menton allaient afficher les couleurs de l'arc-en-ciel. Il avait aussi une arcade sourcilière fendue.

— J'ai des crampes partout! se plaignit Mattéo en grimaçant et en se tortillant.

— Il faut le masser pour rétablir sa circulation sanguine, indiqua Emrys.

Aussitôt, Alixe retira le manteau de son frère et desserra ses vêtements. Puis, d'abord lentement, et de plus en plus vivement, elle entreprit de lui frictionner les bras. Prenant encore un peu d'eau entre ses mains en coupe, l'Arya l'apporta jusqu'aux lèvres desséchées de Mattéo.

— Tout doucement… Seulement deux petites gorgées, car c'est très froid, indiqua le Savant.

— J'ai gardé une bouteille de plastique, fit Alixe en extirpant de sa poche l'un des contenants d'eau qu'Emrys avait rapportés lors de son excursion au supermarché, pendant que le frère et la sœur se reposaient.

— J'ai soif ! se plaignit Mattéo, avalant difficilement.

— Non, pas plus pour le moment !

Emrys ouvrit les doigts pour laisser filer l'eau qui restait dans ses mains.

— Je t'en donnerai de nouveau dans une quinzaine de minutes, mais pas avant. Ça peut être très dangereux de boire de l'eau glacée dans l'état où tu te trouves. Il faut y aller progressivement.

Il remplit la bouteille que lui tendait Alixe, mais lui recommanda :

— Ça, c'est pour toi, mais n'en donne plus à Mattéo… Pas avant que je te le dise !

Elle hocha la tête. Dès la première gorgée, la fraîcheur de l'eau la surprit.

— Oups ! C'est très froid ! D'accord avec toi, Emrys… mon frère ne doit pas en avaler trop.

— Que s'est-il passé, exactement ? s'enquit Mattéo, dont le visage retrouvait peu à peu sa couleur normale.

— Tu m'as sauvé la vie, répondit simplement Emrys. Et tu as risqué la tienne. Un être humain non protégé par un talisman comme celui-ci (il souleva son pendentif) ne peut fonctionner normalement dans la Salle du Cristal que pendant cinq ou six minutes. Lorsque tu as glissé mon cristal autour de mon cou, tu es devenu très vulnérable. La chaleur et l'humidité intenses qui règnent autour des cristaux ont bien failli te coûter la vie. Heureusement, Max Ankel n'était pas en très grande forme, lui non plus. Tu n'aurais pas pu l'affronter dans ton état de faiblesse.

— Ankel ? fit Mattéo.

Il chercha à se relever sur un bras, mais un vertige le força à se rallonger.

— Il est resté dans la Salle du Cristal, laissa tomber Alixe en buvant encore un peu d'eau. Il s'est évanoui lui aussi.

— On ne peut pas... l'aban... donner ! murmura Mattéo.

Elle fit la grimace.

— Non, tu as raison, on ne peut pas ! acquiesça Emrys en se relevant. J'y retourne !

Alixe le rattrapa par un bras avant qu'il ne s'éloigne.

— Sois prudent !

— Mon cristal est parfaitement rechargé maintenant. Il va me protéger. Je vais seulement traîner Ankel hors de la salle. Il faut l'éloigner de cet environnement toxique.

— Les Ténébreux ne l'auraient pas fait pour l'un d'entre nous, objecta Alixe pour tenter de le retenir.

— Tu as raison. Mais ce n'est pas dans la mentalité des Aryas de laisser mourir un être vivant sans essayer de le sauver, lui répondit Emrys en lui souriant.

— Les Ténébreux vont sûrement s'inquiéter de l'absence d'Ankel et vont peut-être le rechercher. T'es sûr que tu veux y aller ? Tu pourrais tomber sur Vitra et Nisha. J'ai si peur qu'il t'arrive quelque chose…

— Ne t'inquiète pas. En attendant mon retour, veille à bien masser Mattéo. Quand je reviendrai, il faudra filer sans tarder. Il devra être en état de se déplacer. Si les Dâsas viennent récupérer Ankel dans la Salle du Cristal, ils vont nous repérer facilement si on reste ici à se reposer. On ne peut pas courir le risque qu'ils s'en prennent encore à nous. Mattéo et moi sommes encore trop affaiblis par notre récente mésaventure ; nous ne pourrions pas leur résister.

Emrys s'éloigna, et les ténèbres envahirent aussitôt la grotte. C'était la première fois depuis leur entrée dans cet univers souterrain qu'Alixe et son frère se retrouvaient totalement seuls, dans la plus profonde obscurité. La jeune fille frissonna en entendant les pas de son ami arya disparaître dans cette immensité rocheuse. Après quelques minutes, l'absence de luminosité exacerba ses autres sens. Elle eut l'impression que les bruits de l'eau et le craquement des rochers étaient plus prononcés, plus menaçants aussi. Et une odeur âcre la fit renifler. Il y avait un relent* de soufre dans l'air qui évoquait l'odeur des œufs pourris. Elle se demanda d'où cela pouvait venir. À la lumière du cristal d'Emrys, elle n'avait rien vu qui puisse dégager une telle puanteur.

Pour chasser son sentiment d'inconfort, elle se concentra sur le massage des mollets de Mattéo. Son frère avait fermé les yeux et son souffle s'était apaisé. Il ne dormait pas ; il somnolait, appréciant à sa juste valeur ce traitement bienfaisant.

Toutefois, après quelques secondes, les mains d'Alixe cessèrent de frictionner les jambes de Mattéo. Quelque chose avait attiré son attention. Une faible lueur dansait à la surface des eaux de la rivière souterraine. Elle releva la tête et scruta le plafond rocheux qui les surplombait à une distance assez éloignée. Un mince rayon de lumière pâle se faufilait entre la masse des rochers et tombait directement dans la cuvette. Elle sentit également un filet d'air frais sur son visage. Apparemment, leur refuge était relié à la surface par un puits long et étroit, indiscernable à première vue, mais qu'elle pouvait deviner, en s'y attardant, à travers quelques fissures. Au-dessus d'eux, le jour était en train de se lever, et leur offrait un peu de sa clarté.

Ψ

Moins de cinq minutes après son départ de la grotte, Emrys déboucha en courant dans la Salle du Cristal. Il n'eut pas besoin d'inspecter longtemps les lieux pour s'apercevoir que Max Ankel n'était plus là. Pas plus que son cristal rouge ne se trouvait dans la géode. Selon toute vraisemblance, les Dâsas avaient récupéré le plus jeune membre de leur commando bien plus rapidement qu'il ne l'avait anticipé.

Je me demande dans quel état il est…, songea le jeune Arya, puis il fit demi-tour pour aller retrouver Alixe et Mattéo. Il était cependant soulagé de constater que les Ténébreux n'avaient pas tenté de s'en prendre à eux. Du moins, pas pour le moment. S'ils l'avaient voulu, les Dâsas n'auraient eu qu'à débarquer dans la salle de la rivière pour leur régler leur compte. Mais Vitra et Nisha avaient évité la confrontation, et il se demanda pourquoi. Il tenta de percer le mystère en retournant vers ses amis, mais aucune explication plausible ne lui vint à l'esprit.

Ψ

Son retour dans la grotte près de la rivière souterraine y ramena aussi de l'éclairage et des couleurs, grâce à la lumière blanche émanant de son cristal. Alixe lui jeta un coup d'œil interrogateur et soulagé.

— Il n'était plus là! répondit Emrys à sa question muette. Les Dâsas l'avaient déjà récupéré.

— Ils ne risquent pas de le conduire ici? s'enquit Alixe, balayant les alentours d'un mouvement circulaire de la main.

— Non, sinon ils seraient déjà là. Ils l'ont sans doute conduit dans leur repaire… C'était plus simple!

Emrys, désireux de masquer sa propre inquiétude, s'efforçait de présenter un visage serein.

— Leur repaire? Tu parles bien de l'endroit où ils retiennent nos parents? l'interrogea Mattéo, qui se remettait tranquillement de son aventure dans la Salle du Cristal.

— Oui. C'est une sorte de cité-refuge. Elle aussi est située sous terre. Les Dâsas en ont plusieurs du même genre aux quatre coins du monde. Ils s'y sont installés depuis des millénaires.

— Comme, euh… Agartha ? le relança Alixe, qui attendait toujours que son ami leur parle de sa propre expérience de vie souterraine.

Bon, c'est sûr que c'est pas vraiment le moment qu'il reprenne son récit à propos des Géants et des Aryas, mais j'espère bien qu'il va terminer son histoire à un moment ou à un autre, songea-t-elle.

— Ça y ressemble, acquiesça Emrys.

Il avait lu ses pensées, ce qui l'incita à donner un peu plus de détails sur la cité-refuge des Dâsas.

— Leur repaire, celui que nous cherchons, s'appelle Kûpa, c'est-à-dire « Puits profond » en français. Il s'agit d'un gros bourg secret creusé dans le sous-sol. C'est une cité bien organisée, avec des places, des rues, des ruelles, des logements, des fontaines…

— D'accord, mais…

Alixe pointa le plafond.

— … il y a des gens qui vivent au-dessus. Personne ne se doute qu'il y a toute une vie qui grouille sous terre ? s'étonna-t-elle.

— Ce n'est même pas possible d'en trouver les entrées en surface, confirma Emrys. De toute façon, même si quelqu'un réussissait à trouver comment se faufiler dans leur ville, il se perdrait vite dans le labyrinthe de couloirs et de passages en zigzag qui y a été aménagé pour décourager les intrus. Les Ténébreux ont aussi disposé des meurtrières au-dessus des principales voies d'accès, par lesquelles ils peuvent massacrer les curieux sans crainte d'être blessés ou tués à leur tour.

Emrys offrit encore un peu d'eau à Mattéo ; cette fois, il lui permit de boire une plus grosse gorgée au goulot de la bouteille.

— Comment vas-tu ? Peux-tu marcher ? lui demanda-t-il en scrutant son visage pour y déceler la moindre trace de faiblesse.

— Je crois que oui, répondit l'adolescent en s'appuyant sur sa sœur pour se remettre sur ses pieds. Quelle heure est-il ?

Alixe consulta sa montre.

— Six heures du matin.

Elle se tourna vers Emrys :

— N'oublie pas. Si, dans deux heures, nous n'avons pas retrouvé nos parents, il faudra prévenir la police.

Le Savant hocha la tête.

— Nous sommes tout près de Kûpa. Nous allons les libérer…

— Hum! Sauf que… d'après ce que tu as dit, si les Ténébreux ont emmené Ankel dans leur repaire, on risque de tomber sur tout un village de Dâsas! répondit Mattéo.

— Nous aviserons quand nous y serons! répliqua Alixe. Je suis convaincue qu'Emrys ne manque pas d'idées…

Elle se tourna vers le jeune Arya et fixa ses traits… inexpressifs. À cet instant, elle douta. Leur petit trio pourrait-il réellement libérer leurs parents? Elle détourna son visage pour éviter que Mattéo puisse y lire ses craintes.

Son frère s'appuya sur elle et sur Emrys, et ils reprirent leur route, suivant le cours de la rivière souterraine qui coulait dans une enfilade de salles, de grottes, de cavités. À quelques reprises cependant, ils durent ramper pour se glisser dans des goulets plus étroits, mais toujours l'Arya se faisait rassurant: ils étaient dans la bonne direction.

Soudain, au sortir d'un passage, Emrys, qui cheminait en tête, se figea. Des cris très aigus, des ultrasons qu'il était le seul du trio à percevoir, retentissaient en echo tout autour d'eux. Pas très loin devant, des chauves-souris avaient été dérangées et voletaient en grinçant, balayant l'air d'ondes à haute fréquence pour se diriger dans l'obscurité. Pour Emrys, il n'y avait pas à s'y méprendre: les Dâsas étaient à leur recherche.

— Qu'est-ce qui se passe ? s'inquiéta Alixe en constatant que son ami n'avançait plus.

— Chut ! fit-il en mettant un doigt sur ses lèvres. Les Ténébreux ne sont pas très loin. Les ondes émises par le système d'écholocalisation des chauves-souris les empêchent de nous détecter pour l'instant, mais ils se rapprochent.

La jeune fille devint livide et avala sa salive.

— Quelles… quelles chauves-souris ? bégaya-t-elle, effarée.

Mais ni son frère ni son ami ne lui prêtèrent attention.

— Et toi, comment sais-tu qu'ils sont tout près ? murmura Mattéo.

— À cause des chauves-souris, justement, fit Emrys. Elles vivent dans une grotte un peu plus loin. Normalement, à cette heure de la journée, elles dorment après avoir chassé toute la nuit. Mais les Dâsas ont dérangé leur repos ; elles protestent et émettent des cris suraigus que je peux capter. Heureusement, leurs ultrasons bloquent les ondes que nous, nous émettons. Je ne peux pas dire combien de Ténébreux approchent, mais je vous garantis qu'ils nous cherchent. Et s'ils nous trouvent, je ne donne pas cher de notre peau.

Ils se remirent à avancer en silence.

— Y a quelque chose qui m'échappe ! laissa brusquement tomber Mattéo.

— Que veux-tu savoir ? demanda Emrys en les entraînant dans un étroit passage dans lequel ils durent se faufiler à quatre pattes.

— Pourquoi les Dâsas vivent-ils dans des grottes comme des hommes des cavernes ? Je comprends qu'ils veulent être discrets, mais d'après ce que j'ai vu, ils nous ressemblent. Ils peuvent très bien se mêler à nous sans que nous fassions la différence. Tiens : Max Ankel, par exemple, à l'école… c'était un gars comme les autres !

— Hum ! Eh bien, je crois qu'il va falloir que je finisse de vous raconter la guerre des Géants et des Aryas, car tout découle de ce conflit, répondit le Savant.

CHAPITRE 12

— Je vous ai dit que les Enfants de Mimas étaient devenus majoritaires au conseil des Namlù'u, commença Emrys en escaladant un rocher en forme d'escalier qui allait les mener vers une sorte d'antichambre, avant-poste d'une caverne plus spacieuse.

Alixe et Mattéo émirent quelques onomatopées pour signifier qu'ils étaient tout ouïe.

— Je vous passe les détails, mais sachez que la guerre reprit. Il fallait s'y attendre, car les Géants dirigés par Mimas n'avaient qu'un seul désir : s'emparer de Shamballa.

Emrys ne voulait pas revenir sur l'attaque contre la capitale arya, car il craignait que son récit ne réveille des souvenirs profondément enfouis en Mattéo. Il évita donc de relater ce qui s'était passé pour éviter que le cerveau de son ami soit mis en alerte par une description trop précise. Quant à Alixe, elle n'avait nullement besoin de savoir ce que son frère avait, bien malgré lui, vu de ses yeux pour suivre les propos du jeune Arya et se faire des images mentales des événements.

— Après avoir patiemment résisté sans riposter, mon peuple a donc dû se résoudre à passer à l'attaque à son tour. Notre technologie étant beaucoup plus sophistiquée que celle de nos adversaires, nous les avons repoussés sans difficulté. Ensuite, le grand prêtre Agni préconisa d'utiliser des leurres. Nos illusions visuelles et auditives se révélèrent très efficaces pour tenir les Namlù'u à l'écart de Shamballa pendant un certain temps. Ils réintégrèrent La Colline et y restèrent à peu près tranquilles. Mais nous les avions à l'œil.

— Hum! La mardkora nous a donné un aperçu d'une illusion bien réussie, commenta Alixe, qui sentit la chair de poule parcourir ses bras à la simple pensée du monstre fantastique, mais heureusement virtuel, qu'ils avaient croisé quelques heures plus tôt.

Elle avait pourtant l'impression que cela faisait une éternité. Leur voyage dans le monde souterrain avait faussé sa notion du temps, et elle se dit que sans sa montre, elle serait bien incapable de dire depuis combien d'heures ils cheminaient sous terre.

— Oh! La mardkora, ce n'est rien! s'exclama Emrys. Les illusions créées par les Aryas étaient beaucoup plus effrayantes, crois-moi. Plusieurs légendes qui peuplent vos contes et vos croyances, concernant des dragons et des apparitions célestes, tirent d'ailleurs leur origine de nos trompe-l'œil.

— Quoi ? Te rends-tu compte que tu es en train de démolir mes rêves d'enfant, là ?! blagua Mattéo. Moi qui croyais que c'était Merlin l'enchanteur qui avait résolu l'énigme du dragon rouge et du dragon blanc...

— Bon, eh bien, Mattéo se porte mieux ! lança Alixe. Il a retrouvé son sens de la dérision.

— Bien, alors revenons à nos Géants, poursuivit sérieusement le jeune Arya sans se soucier de demander aux deux autres qui était cet enchanteur que Mattéo appelait Merlin. Pendant plusieurs centaines d'années, les Géants se retirèrent dans La Colline et une paix toute relative s'installa de nouveau.

— Tu dis ça sur un ton désolé, remarqua Alixe. Tu veux dire que la paix n'a pas duré ?

— Non, malheureusement ! Mimas était têtu, et son esprit guerrier, beaucoup trop développé. Et surtout, il avait vu Shamballa de ses propres yeux. La belle cité de verre avait excité sa convoitise. Il la voulait pour lui, pour en faire la capitale d'un nouveau royaume nain lu'u sur lequel il régnerait en maître absolu.

Mattéo fronça les sourcils lorsque Emrys prononça les mots « cité de verre ». Une image précise de Shamballa apparut derrière ses paupières plissées. Il pensa à ce que lui avait dit son ami : son cerveau devait sûrement associer ces mots-là à quelque chose qu'il avait vu auparavant. Peut-être les hauts gratte-ciel vitrés qui peuplaient toutes les grandes capitales du monde lui permettaient-ils d'imaginer ce à quoi pouvait ressembler Shamballa. Il secoua la tête et chassa ses pensées pour se concentrer sur le récit d'Emrys.

Ce dernier poursuivait sa narration sans rien laisser paraître de son trouble. Pourtant, il avait parfaitement lu dans l'esprit de Mattéo et il s'en inquiétait. L'adolescent gardait bien plus de souvenirs de son aventure dans le « Lieu du Bonheur paisible » qu'il ne l'aurait dû. Le Savant décida qu'il lui faudrait bientôt plonger Mattéo dans un sommeil hypnotique pour effacer une nouvelle fois sa mémoire. Apparemment, Agni n'avait pas réussi à gommer toute trace du voyage du garçon dans le royaume arya. Emrys espérait mieux y réussir.

« Un jour, au conseil des Géants, Mimas prit prétexte du réchauffement climatique qui chamboulait les conditions de vie en Laurasia pour remettre la prise de Shamballa à l'ordre du jour. Antée avait été chassé du pouvoir, et c'était désormais lui qui régnait.

— Nos conditions de vie se détériorent de jour en jour, lâcha Mimas lors de la réunion mensuelle qu'il avait instaurée après sa première attaque sur Shamballa. Nos cultures sont régulièrement ravagées par des nuées d'insectes. Notre sol est aride et il devient très difficile à cultiver.

— Nos cours d'eau s'assèchent, renchérit Sippai. La vie devient intenable à La Colline et sur tout le territoire de la Laurasia. Avec la désertification*, nous perdons non seulement nos précieuses sources et rivières, mais aussi nos arbres et tous ces végétaux qui nous nourrissent et nous protègent du soleil.

— Eh bien, abandonnons cette terre qui ne peut plus assurer notre subsistance ! s'exclama Lahmi, comme si cela allait de soi. Nos voisins ont un immense territoire qu'ils n'exploitent même pas ; nous n'avons qu'à l'occuper.

« Des grondements montèrent aux lèvres des alliés d'Antée. Og, Talmaï et Sikhon manifestèrent bruyamment leur désarroi.

— Si vous n'êtes pas d'accord, rien ne vous retient ici…, fulmina Mimas en constatant que certains Géants continuaient à s'opposer à lui. Vous n'avez qu'à rejoindre les Anakim sur leurs îles. Et bon débarras !

« Depuis qu'Anak et ses partisans avaient quitté La Colline, les Namlù'u exilés n'avaient plus donné aucune nouvelle. Personne ne savait s'ils étaient vivants ou morts. Dès les premiers instants où Mimas avait formulé des projets de guerre, les Anakim s'étaient volontairement retirés dans des îles bien loin du continent, où ils avaient d'abord établi des colonies, puis fondé un nouveau royaume.

« Cependant, au cours des derniers siècles, de multiples séismes, des raz-de-marée, des éruptions volcaniques avaient soulevé la terre, principalement de la Laurasia, mais aussi du Gondwana dans une moindre mesure. Ces manifestations avaient créé des failles, faisant apparaître et disparaître tout aussi vite des centaines d'îlots et emportant des archipels à la dérive sur le vaste océan. Dès lors, le royaume des Anakim avait rompu tout contact avec la Laurasia.

« Envoyer les mécontents rejoindre les Anakim équivalait donc à les expédier dans le néant, vers un monde inconnu dont aucun Géant n'était encore revenu.

« Antée avait vite compris que Mimas complotait pour se débarrasser de tous les Namlù'u qui n'étaient pas des chasseurs-guerriers, qui ne voulaient pas se soumettre à sa loi, bref, de tous ceux qui contestaient son autorité et renâclaient devant la force et la méchanceté de son clan.

« Après la réunion du conseil, le roi déchu sut que son temps était compté. Heureusement, il avait pris des dispositions pour prévenir les mauvaises surprises, et surtout pour éviter d'être assassiné. Il convoqua ses plus fidèles lieutenants, les loyaux Og, Sikhon et Talmaï, dans sa résidence personnelle, loin des jeux de coulisses du palais royal.

— Quel est votre avis? Que devons-nous faire? demanda le roi Antée à ses conseillers.

— J'ai longuement réfléchi à la question, soupira Og.

« Il était mal à l'aise, car il savait que ses prochaines paroles allaient choquer ses amis.

— Il faut prévenir les Aryas de ce qui se trame ici.

— Mais c'est de la trahison! s'exclama le prudent Talmaï.

— Non, mon ami. expliqua Og. Les traîtres, ce sont Mimas et ses chasseurs-guerriers. Nous avons toujours vécu en paix avec nos voisins, et nous aurions pu encore nous entendre avec eux si Antée était resté au pouvoir.

— Il a raison, confirma celui-ci. Mon projet était de parler à Indra et de négocier des terres au Gondwana pour y établir un royaume à l'abri des changements climatiques qui nous menacent aujourd'hui… Mais Mimas m'en a empêché en prenant le pouvoir. Pour lui, les discussions ne servent à rien, il ne connaît que la force. Il a le goût du sang sur les lèvres.

— Que proposes-tu, alors? s'enquit Talmaï.

— Je suis déjà allé rencontrer Indra…, laissa tomber Og, à la grande surprise de son frère Sikhon, mais surtout de Talmaï, qui se figea, la bouche grande ouverte sur une exclamation qui ne sortit pas tellement sa stupeur était grande.

— Sur ma demande! précisa Antée. Je ne pouvais faire cette rencontre moi-même, officiellement, au su et à la vue de tous, mais je pouvais déléguer un de mes plus fidèles serviteurs…

« Le roi déchu savait que si cette ambassade extraordinaire auprès des Aryas venait à être portée à la connaissance de Mimas, elle vaudrait la peine de mort à l'envoyé spécial. En disant qu'Og avait agi sur son ordre, Antée cherchait à protéger son messager au cas où les choses tourneraient mal.

« Og inclina la tête et lui sourit pour le remercier de cette délicatesse, puis il laissa tomber la nouvelle qu'il se retenait de dévoiler depuis son retour du Gondwana, trois jours plus tôt. Jusqu'à maintenant, il n'avait fait un compte rendu de son voyage qu'au roi Antée. Ce dernier attendait anxieusement de voir la réaction qu'auraient ses deux lieutenants lorsque Og leur dévoilerait ce qui avait été négocié avec les Aryas.

— Indra nous offre l'hospitalité, commença le conseiller.

« Cette annonce eut l'effet d'un coup de tonnerre sur Talmaï et Sikhon.

— Qui… quoi? À qui? Pourquoi? Comment? lancèrent les deux Géants en chœur, le ton à la fois enthousiaste et inquiet.

— À tous ceux d'entre nous qui choisiront l'exil et viendront en paix. Ils seront accueillis par les Aryas, ajouta Og, très content de son effet.

— Eh bien, quelle nouvelle! fit Sikhon, abasourdi.

— Les Enfants de Mimas ne l'accepteront jamais! déclara le sage Talmaï, troublé.

— C'est bien pour cela qu'il faut garder cette proposition secrète, insista Antée. Moins il y aura de Géants dans la confidence, plus nous aurons de chance de sortir de La Colline en toute quiétude.

— Mais… nous ne pouvons pas abandonner notre peuple! grommela Talmaï.

— Il n'est pas question de cela non plus! expliqua Antée. Voici mon plan. Mimas a dit que ceux qui voulaient partir rejoindre les Anakim n'avaient qu'à quitter les lieux. Eh bien, c'est ce que nous allons faire. Nous dirons que nous partons retrouver Anak et les siens.

— Mais au lieu de nous embarquer pour des îles lointaines dont nous ignorons tout, compléta Og, nous nous dirigerons plutôt vers nos guides aryas qui nous attendront en pleine mer.

— En mer ? ! fit Talmaï, apeuré.

«Pour lui, l'océan était un monde mouvant qui n'inspirait que crainte et répulsion.

— Les Aryas disposent de grands vaisseaux sous-marins, insista Antée. Ce sont des appareils qui ressemblent à des vimanas, mais qui vont aussi bien sur l'eau que dessous, et même dans les airs. Mimas ne pourra rien faire pour nous empêcher d'y embarquer.

— Combien… combien d'entre nous vont partir ? s'enquit Talmaï, qui n'était pas du tout rassuré.

— Tous ceux qui le voudront. Les Aryas nous ont garanti qu'ils ne laisseront derrière aucun Géant qui viendra dans un esprit de paix et de coopération. Par contre, pour protéger notre fuite, nous ne pourrons pas dire où nous allons vraiment. Ceux qui nous suivront devront croire le plus longtemps possible que nous nous dirigeons vers le nouveau royaume des Anakim. Ils n'apprendront notre véritable destination que lorsque nous débarquerons au Gondwana.

— Je ne sais pas… Je trouve cette aventure assez périlleuse, dit Talmaï sur un ton plaintif.

— C'est évident qu'il y a un risque, convint Og. Le risque que Mimas apprenne ce que nous avons décidé et nous condamne à mort avant que nous puissions mettre notre plan à exécution. Sikhon, qu'en penses-tu ? Tu ne dis rien…

— Je pense comme toi, mon frère ! De toute façon, si nous restons ici, un jour ou l'autre, les Enfants de Mimas voudront se débarrasser de nous. Ils ne peuvent déjà plus supporter notre vue au conseil. Nous devons saisir cette occasion… Elle nous sauvera sûrement la vie.

— Og, Sikhon… je vous charge de réunir nos partisans, ordonna Antée. Demain, à l'aube, il faudra quitter La Colline dans le plus grand silence et par petits groupes pour ne pas attirer l'attention. Notre point de rassemblement est l'ancienne ville natale d'Anak. Nous nous retrouverons au port.

— Quoi, si vite ?! s'écria Talmaï, qui n'aimait pas les décisions précipitées.

— Il faut agir vite si l'on veut réussir, insista Antée. Attention, toutefois ! Assurez-vous que ceux à qui vous demanderez de se joindre à nous sont véritablement prêts à tout quitter… sans trahir notre fuite. Dès qu'ils auront donné leur accord, ils devront prendre garde à bien protéger leurs pensées pour qu'aucun Enfant de Mimas ne s'y infiltre. Notre vie et la leur en dépendent. Il faut qu'ils en soient pleinement conscients !

« Les trois conseillers du roi hochèrent la tête. L'heure était grave. Ils devaient agir à la fois rapidement et en toute discrétion, ce qui n'allait pas forcément de pair. »

CHAPITRE 13

« Le plan d'Antée fut mené rondement et se déroula sans anicroche. Apparemment, les Enfants de Mimas ne se doutaient de rien.

« Par petits groupes d'une centaine d'individus, comme l'avait ordonné le roi déchu, quelques milliers de Géants se réunirent dans la cité natale d'Anak. Celle-ci, depuis le départ des Anakim, était totalement abandonnée. Envahie d'herbes sèches et d'insectes ravageurs, livrée aux éléments, elle menaçait ruine.

« Au lever du soleil, la foule des Géants se pressa sur les lourdes pierres disjointes des quais, dont beaucoup étaient même déjà tombées dans la mer. Après de longues minutes d'attente sous un soleil de plomb absolument insoutenable pour les peaux pâles des Namlù'u, de gigantesques sous-marins en forme de poissons apparurent dans les eaux profondes du port. Les Aryas avaient pensé à tout, même à envoyer des submersibles à la taille de leurs nouveaux concitoyens.

« En toute hâte, mais sans précipitation ni confusion, les fuyards embarquèrent dans ces étranges navires pour une destination inconnue de la plupart d'entre eux. Si certains s'étonnaient que les Anakim aient inventé un moyen de transport aussi ingénieux, la plupart étaient trop heureux de quitter la Laurasia, sèche et désertique, pour des cieux qu'on leur avait promis plus cléments, et ne se posèrent guère de questions sur la provenance et la destination des vaisseaux.

« Les guides aryas prirent bien soin de ne pas se montrer. Ils n'entraient en communication télépathique qu'avec Antée et ses trois lieutenants. Les Exilés ne découvrirent l'identité de leurs pilotes que lorsque leur sous-marin ferma ses écoutilles et s'éloigna en mer.

« Mais tout se déroula sans difficulté. Une fois la surprise passée, les Namlù'u se montrèrent plutôt reconnaissants envers leurs voisins qui venaient les sauver, à la fois des Enfants de Mimas et des conditions difficiles de leur continent. Personne n'exigea de revenir au port.

« Au port, justement, Og et Antée se réjouissaient du bon déroulement de l'opération qu'ils supervisaient d'une main de maître. Mais Talmaï, comme de coutume, était inquiet.

— C'est impossible que notre départ passe inaperçu, confia-t-il à Sikhon, occupé à guider un dernier groupe de Namlù'u vers le sous-marin qui leur avait été assigné.

— Lorsque Mimas comprendra, nous serons déjà loin…, répondit Sikhon sans interrompre sa tâche.

— Mais c'est près de la moitié de la population de la Laurasia qui s'enfuit! insista Talmaï en regardant tout autour de lui d'un œil inquiet, redoutant de voir débouler sur eux une horde de chasseurs-guerriers menaçants. Mimas n'est ni sourd ni aveugle…

— Antée a tout prévu! Les Aryas disposent d'un moyen efficace de tenir les Enfants de Mimas à distance pour protéger notre fuite.

— Ah? Qu'est-ce que c'est?

« Talmaï se demanda comment il avait pu rater une information de cette importance.

— Les Aryas l'appellent la "Flèche du sommeil"; c'est une sorte de gaz toxique qui endort sans causer de dommage. Og et moi en avons répandu partout dans La Colline après le départ du dernier groupe de nos partisans. Lorsque les Enfants de Mimas reviendront à eux, il y aura longtemps que nous aurons débarqué au Gondwana.

— Comment ça se fait que je ne sois jamais mis au courant de rien, moi? grommela Talmaï.

— Peut-être parce que tu t'inquiètes trop, suggéra Sikhon. Si tu avais été dans la confidence…

— Un gaz, c'est dangereux, quand même! l'interrompit Talmaï. Ça doit présenter des effets secondaires… N'est-ce pas dommageable pour la santé? Les Enfants de Mimas sont des Géants comme nous, après tout; on ne peut pas leur faire de mal…

— Voilà! C'est exactement pour ça que personne ne t'a rien dit! Tu t'en fais trop et tu poses trop de questions…

« Boudeur, Talmaï haussa les épaules et se dirigea vers le dernier sous-marin arya, dans lequel Antée et ses trois lieutenants feraient le voyage vers un autre monde. »

$$\Psi$$

« Les sous-marins aryas filèrent comme des torpilles dans les profondeurs abyssales. Tant et si bien que l'exode de plusieurs milliers de Géants fut chose faite en moins de vingt-quatre heures.

« Au coucher du soleil, les Exilés, ébahis, débarquèrent dans leur nouvelle demeure, une splendide cité de verre adaptée à leur taille située en bord de mer. L'entrée du port était gardée par deux phares de bronze scintillant au soleil qui leur parurent de dimensions colossales… même à leurs yeux de Géants. Les statues représentaient deux Namlù'u brandissant chacun une coupelle où brûlait un feu perpétuel. Lorsque le soleil disparut à l'horizon, l'effet fut saisissant. La ville s'appelait la Cité des Roses, car les toits, les rues et les jardins publics étaient remplis de rosiers sauvages.

«Dès qu'ils eurent posé le pied sur le débarcadère, les Exilés furent étreints par l'émotion. Jamais ils n'auraient pu envisager que les Aryas auraient la délicatesse de leur construire une si merveilleuse cité. Cette gentille attention mettait un peu de baume au cœur des fuyards qui, dans certains cas, avaient dû abandonner des amis proches ou des membres de leur famille, qui s'étaient joints aux Enfants de Mimas.

«Pour les Exilés, une nouvelle vie commença. Au fil des saisons, ils se mirent à apprécier la douceur du soleil, la fraîcheur de la pluie, les odeurs enivrantes, l'atmosphère délicate et les splendeurs de leur terre d'accueil. Indra leur avait promis qu'ils connaîtraient le même âge d'or que les Aryas qu'ils avaient vus à Shamballa; il ne les avait pas trompés. Les Géants en exil ne tardèrent pas à se laisser bercer par cette vie légère et insouciante, où leur moindre désir était satisfait par des Hommes-Machines.

«Au réveil, la surprise fut grande pour les Enfants de Mimas qui étaient restés en Laurasia. On chercha les fuyards dans tout le continent, en vain. Lahmi dut finalement se résoudre à abandonner les recherches, et tous crurent qu'Antée et ses fidèles étaient effectivement partis rejoindre les Anakim, dont on n'avait plus de nouvelles depuis des siècles.

« À de nombreuses reprises encore, au fil des ans, Mimas tenta de s'en prendre à Shamballa, mais les Aryas ne se laissèrent plus jamais surprendre par les attaques namlù'u.

« Les années passèrent, douces et agréables pour les Exilés. Antée, Og, Sikhon et Talmaï furent conviés à siéger au conseil des Aryas, car si l'ancien roi namlù'u était devenu le gouverneur de la Cité des Roses, celle-ci dépendait néanmoins du royaume du Gondwana. »

$$\Psi$$

« Un matin, un Géant du nom d'Agrios, dont les dons d'augure lui avaient valu l'admiration aussi bien des Exilés que des Aryas, se mit à prophétiser d'étranges et inquiétants événements.

« Installé sur un rocher, non loin des deux colosses qui surveillaient l'entrée du port, Agrios gardait obstinément les yeux tournés vers le ciel azur. De nombreux Géants se pressaient chaque jour pour l'écouter. L'augure se vantait de pouvoir lire l'avenir dans le déplacement des étoiles.

— Je te le jure ! insista l'oracle, en réponse à Og qui l'interrogeait sur ses récentes prédictions, qui lui avaient été rapportées par d'autres Géants. Il suffit de bien observer le ciel. Autrefois, les Aryas s'appelaient les Enfants des Étoiles. Certains d'entre eux, même depuis qu'ils ont renoncé à vivre en plein air, continuent à contempler les astres. Ce sont eux qui m'ont appris l'astronomie.

« Og, silencieux, hocha la tête. Il connaissait effectivement plusieurs Savants qui passaient leurs nuits le nez en l'air, à observer et à étudier les Resplendissants, c'est-à-dire les étoiles, les astres, les planètes qui gravitaient autour de la Terre. Ils surveillaient également les Errants : comètes, météorites, astéroïdes, et autres corps célestes voyageurs.

— C'est bon, Agrios, laissa tomber Og. Je veux bien te croire. Mais s'il te plaît, cesse de répandre tes sinistres prophéties. La peur est en train de se propager parmi les Exilés, et même chez certains Aryas.

« En effet, une anxiété inhabituelle s'était répandue parmi la joyeuse population des Géants en exil dans la Cité des Roses. L'inquiétude avait aussi gagné Shamballa et les quelques petites villes qui s'étaient développées au Gondwana, dans lesquelles Savants et Exilés cohabitaient en toute harmonie.

« Agrios était assis sur son rocher, le corps tourné de trois quarts vers l'océan. Pour une fois, il était seul, sans sa petite cour d'adeptes qui, depuis quelque temps, le consultaient pour des raisons aussi variées que loufoques, aux yeux d'Og.

— Og, tu es le surveillant des volcans, tu sais lire leur moindre soubresaut, tu peux prévoir les éruptions.

« Le Géant confirma d'un signe de tête.

— Talmaï connaît bien le mouvement des océans, il peut annoncer les marées…

« Encore une fois, Og secoua la tête.

— Personne ne remet en question vos capacités, poursuivit Agrios. Eh bien, dans mon cas, c'est pareil. Je peux lire la course des Resplendissants, comme ton frère Sikhon. Je te demande de me croire sur parole : il se passe quelque chose de grave.

« À son ton, Og comprit qu'Agrios était sérieux. Il était véritablement inquiet, lui qui, de nature, était du genre plutôt optimiste. Mais cette fois, son visage était défait, et ses yeux, implorants.

— Je t'écoute !

— Un Errant s'approche de notre système… vite, très vite ! révéla Agrios d'une voix angoissée, mais qu'il tentait néanmoins de maîtriser pour ne pas s'emballer. C'est un astéroïde vagabond. S'il s'écrase sur la Terre, nous serons tous anéantis.

— Hum! fit Og en grimaçant. Tu es sûr que ce que tu as observé n'est pas une arme namlù'u ressemblant au Dard d'Indra?

«Agrios secoua la tête vivement. Il avait vu le Dard d'Indra à l'œuvre lors de la guerre entre les Enfants de Mimas et les Aryas; cette arme ressemblait à un long tube avec un large empennage* triangulaire destiné à lui donner de la stabilité en vol. Ce missile pouvait tuer dix mille personnes d'un coup. Mais ce n'était absolument pas de cela qu'il s'agissait.

— Non! reprit Agrios. C'est l'Étoile Rouge, et nous avons peu de temps pour nous préparer.

«Og était pour le moins incrédule. Il leva les yeux au ciel. Le soleil brillait de tous ses feux, l'air était doux; la vie s'écoulait paresseusement, facile pour tous au Gondwana. Rien ne semblait pouvoir menacer ce paradis, et surtout pas une mystérieuse Étoile Rouge.

— Je vais en parler au conseil, déclara-t-il néanmoins, car l'angoisse d'Agrios n'était pas feinte.

«Le devin était terriblement inquiet.

— Laisse-moi m'adresser au conseil moi-même, insista Agrios. Nous sommes en grand péril. Je dois m'entretenir avec le grand prêtre Agni. C'est un Enfant des Étoiles. Il comprendra mieux que quiconque le péril qui nous menace tous. Namlù'u, Anakim, Enfants de Mimas, Exilés, Aryas ; quel que soit notre clan, quelles que soient nos capacités technologiques, personne n'en réchappera si des mesures urgentes ne sont pas prises.

« Og hésitait. Permettre à un Exilé de parler au conseil, alors que ce dernier ne faisait pas partie de la caste dirigeante, ça ne s'était jamais vu, ni chez les Aryas ni chez les Géants.

« *Bien, il faut un début à tout*, soupira Og en pensée, avant de répondre à Agrios :

— C'est bon. Dans quarante-huit heures, je dois me rendre à Shamballa pour une réunion du conseil commun des Aryas et des Exilés. Tu viendras avec moi… dans mon vailixi. »

$$\Psi$$

« Quarante-huit heures plus tard, comme il avait été convenu, Og fit son apparition dans la salle du conseil de Shamballa, flanqué d'un Agrios ébahi par la splendeur du "Lieu du Bonheur paisible".

« Le Géant avait entendu parler de la cité de verre, mais il ne l'avait jamais vue. La beauté de cette merveille architecturale était à la hauteur de sa réputation. Même si personne ne l'écoutait au conseil, l'augure songea que le déplacement en aurait valu le coup, rien que pour avoir l'occasion d'admirer Shamballa.

« Il dut attendre que la réunion régulière entre les Savants et les Exilés soit terminée pour enfin être introduit dans la salle du conseil. Son premier regard se dirigea vers le grand prêtre Agni. Il comptait sur lui pour appuyer ses propos.

« *J'espère que je n'ai pas commis une grosse bêtise qui me vaudra le bannissement du conseil arya en amenant Agrios à l'assemblée,* songea Og en dévisageant Indra, qui affichait un visage sévère.

— Parle sans crainte, Agrios ! déclara Antée. Og nous a, en partie, fait part de tes observations, mais nous voulons en apprendre tous les détails de ta bouche. Ne nous cache rien.

« Agrios se racla la gorge à plusieurs reprises. Aussitôt, Og s'empara d'un pichet d'eau qui trônait sur une petite table basse et en remplit un verre qu'il offrit au Géant. Celui-ci l'avala d'un trait.

— Vous connaissez tous l'Étoile Rouge, commença Agrios.

« Les Aryas et les Exilés acquiescèrent de la tête en gardant le silence.

— Cette planète effectue sa révolution autour du Soleil en trois mille six cents ans, une période que nous appelons un *yuga*, poursuivit le devin. Une ère dure habituellement quatorze mille quatre cents ans, soit quatre *yugas*...

« Agrios tourna son regard vers Agni. Celui-ci l'encouragea par un large sourire à poursuivre sa déclaration.

— Nous achevons une ère, enchaîna Agrios. Bientôt, l'Étoile Rouge sera de nouveau très près de la Terre.

— Ce n'est pas un phénomène nouveau, intervint Agni. L'Étoile Rouge nous rend visite tous les quatorze mille quatre cents ans, comme tu viens de le dire. Sa présence accélère le déplacement du pôle magnétique, nous avons l'habitude. Celui-ci se déplace régulièrement de plusieurs milliers de bâtons de corde par an, et nous nous en accommodons...

— Il y aura plus de raz-de-marée, intervint Sikhon, le surveillant des océans, sur un ton anxieux.

— Mais il n'y aura rien de tragique..., laissa tomber Samyou, le responsable de la prospérité arya.

— Peut-être qu'il n'y a rien de tragique pour vous, les Aryas, le coupa Antée, mais la dernière fois que l'Étoile Rouge est passée aussi près, nous, les Géants de Thulé, nous nous en souvenons encore. C'est à cause d'elle et de toutes les perturbations qu'elle a occasionnées dans le nord de la Laurasia que nous avons dû abandonner notre terre ancestrale.

« Sikhon, Og et Talmaï émirent des onomatopées bruyantes pour soutenir les propos de leur ancien roi.

— Il ne s'agit plus du déplacement du pôle Nord magnétique, reprit Agrios avec plus de force. Cette fois, l'Étoile Rouge n'est pas seule. Elle traîne un monstrueux astéroïde dans son sillage. Je l'ai baptisé Shesha…

— Shesha ?! s'exclamèrent les membres de l'assemblée.

— Quel drôle de nom. Ça veut dire "vestige", s'étonna Indra.

— Exactement ! insista Agrios. Parce que cet astéroïde ne laissera que des vestiges de nos civilisations sur la Terre si nous ne mettons pas tout en œuvre pour le détruire.

« Le silence tomba sur la salle du conseil. Tous les membres méditaient les paroles d'Agrios. Était-il un oiseau de mauvais augure ? Un mage charlatan ? Exagérait-il l'importance de la menace ?

« Agni, le grand prêtre arya, fut le premier à reprendre la parole :

— Quelle est l'importance de, euh… Shesha ? demanda-t-il à Agrios.

— Je pense qu'il s'agit d'une boule de fer et d'iridium* d'environ soixante-dix bâtons de corde. Elle doit peser plusieurs milliards de barres de métal.

« L'énoncé de la taille et du poids de l'Errant laissèrent les membres du conseil bouche bée. Jamais aucun astéroïde de cette ampleur n'avait été détecté. Si la menace était réelle, elle était terrible.

— Si ce monstre percute la Terre en tombant dans l'océan, commenta Agni, il faudra s'attendre à un redoutable tsunami qui déferlera sur la Laurasia et le Gondwana, créant des vagues monstrueuses. Même Shamballa, qui semble bien protégée par ses hautes montagnes, sera dévastée.

— Et si Shesha percute le sol, ce sera encore plus cataclysmique. L'onde de choc sera terrible, sans compter la poussière que cela dégagera dans l'atmosphère. Les cieux en seront assombris pour des mois et des mois… si ce n'est plus! précisa Agrios. »

— C'est horrible! souffla Alixe en s'arrêtant, à bout de souffle, au sommet d'une longue rampe de gravats que le trio venait d'escalader.

— Quoi? fit Mattéo en se retournant pour la dévisager, craignant de devoir affronter un nouveau danger, un autre monstre hideux.

— Ce n'est pas si horrible, c'est une pente peu abrupte! s'étonna Emrys, qui croyait qu'elle parlait de leur petite ascension.

— Non, ce n'est pas ça! Je veux dire que le sort de ces gens des Premiers Temps est vraiment horrible… Que s'est-il passé? Comment ton peuple s'en est-il sorti?

— Allez, encore un petit effort! les encouragea Emrys. De l'autre côté, il y a une salle où nous pourrons nous reposer un peu.

Il attendrait qu'ils y soient avant de leur dire que sur l'autre versant de cet entassement de débris commençait le domaine des Dâsas. Sa plus grande crainte en cet instant était que le frère et la sœur se précipitent dans le labyrinthe des couloirs et se lancent à la recherche de leurs parents, sans prendre les plus élémentaires précautions pour se prémunir contre une attaque des Ténébreux.

CHAPITRE 14

Emrys ôta son manteau.

— Faites comme moi, sinon vous ne passerez pas.

Il jeta son vêtement dans un trou, puis fit de même avec ceux de Mattéo et d'Alixe. Ensuite, le jeune Arya se glissa, les pieds devant, dans l'ouverture étroite qui pouvait à peine lui livrer le passage. Il resta un instant suspendu dans le vide, s'agrippant aux rebords du puits. Enfin, une fois son corps stabilisé, il lâcha tout et atterrit en souplesse sur les manteaux dispersés sur un tapis d'humus.

— Alixe, à ton tour ! cria-t-il en levant les yeux vers le trou sur lequel Mattéo et sa sœur s'étaient penchés.

Alixe imita les gestes de son ami. Elle s'assit au bord du trou, passa ses pieds, puis se laissa glisser, contrôlant sa descente en restant fermement agrippée au rebord. Sa chemise était privée d'une manche, qu'elle avait utilisée pour soigner Mattéo, et elle s'égratigna le bras sur le roc rugueux. Elle lâcha un petit cri de douleur.

Mais déjà, sous elle, les mains d'Emrys tenaient ses jambes et les empêchaient de faire un mouvement de balancier. Une fois immobilisée, elle l'entendit lui crier de se laisser tomber. La chute n'était pas bien grande. Elle devait seulement sauter d'environ soixante-quinze centimètres. Mais quand on ne sait pas à quelle distance se trouve le plancher, c'est toujours un peu angoissant. Emrys la retint et la déposa en douceur près de lui. Puis ce fut au tour de Mattéo. Pendant toute l'opération, il ne cessa de râler.

— J'en ai vraiment marre de toutes ces acrobaties…, lâcha-t-il en se retrouvant dans la salle. Je ne fais pas partie du Cirque du Soleil, moi !

— Nous sommes arrivés dans la citadelle souterraine de Kûpa, déclara Emrys.

Mattéo et Alixe ouvrirent de grands yeux étonnés lorsqu'ils examinèrent la nouvelle salle. Car pour eux, cette caverne était en tous points semblable à toutes celles qu'ils avaient déjà traversées au cours de cette nuit interminable. Ils ne voyaient rien qui puisse la distinguer des autres.

— C'est ça, Kûpa ? fit Mattéo, en faisant une grimace.

— Nous venons de faire notre entrée dans Puits profond, confirma Emrys.

Il posa sa main sur la paroi du fond de la cavité.

— De l'autre côté de ce mur commence le dédale de la cité. Les Dâsas ignorent l'existence de cette salle, du moins je l'espère !... Elle a été creusée par des Explorateurs aryas, il y a plusieurs milliers d'années, lorsque nous nous sommes trouvés menacés par l'astéroïde Shesha. Elle est entièrement blindée et protégée par un champ magnétique. Seul un cristal peut le désactiver pour ouvrir le passage.

— Ankel dispose aussi d'un cristal..., fit remarquer Alixe en renfilant son manteau.

Mattéo et Emrys l'imitèrent, car il faisait assez frais dans les souterrains.

— Exact. Mais les Aryas et les Dâsas n'ont pas tout à fait les mêmes clés...

— Eh bien, si ça prend tout un trousseau pour explorer cette forteresse, on n'est pas sortis... de la caverne ! pouffa Mattéo.

— Avant que nous entrions en douce dans Kûpa, je veux que vous me promettiez de ne pas chercher à courir à droite et à gauche pour essayer de retrouver vos parents... Quoi qu'il arrive, vous devez rester près de moi.

— C'est toi qui tiens la torche ! ricana Mattéo en désignant le cristal.

— Je suis sérieux, Mattéo ! poursuivit Emrys. Nous sommes dans la gueule du loup, comme tu dis. Ici, je suis tout autant en danger que vous… et les Ténébreux ont piégé les voies d'accès, ne l'oubliez pas.

Prenant enfin conscience des périls qu'ils allaient de nouveau affronter, le frère et la sœur avalèrent lentement leur salive et opinèrent de la tête. Ce n'était pas parce qu'ils approchaient du but que le danger était moindre, au contraire.

Emrys retira son cristal et le plaqua contre la paroi. Une porte dérobée bascula en soulevant un nuage de poussière pour leur livrer passage.

Alixe et Mattéo y jetèrent un coup d'œil et comprirent aussitôt que, cette fois, les corridors n'étaient pas naturels. Ils étaient larges, bien pavés et avaient des murs droits, presque lisses. En levant les yeux vers le plafond assez haut, ils virent un agencement de dalles. Ils avancèrent en silence, redoutant qu'un souffle, une parole ne mettent leurs ennemis en alerte. Les couloirs tournaient brusquement à angle droit, parfois à droite, parfois à gauche.

Au bout de cinq minutes de marche, il n'y avait plus à en douter : ils cheminaient dans un véritable labyrinthe. Alixe ressentait des palpitations incontrôlables. Son esprit lui jouait des tours. Elle craignait de voir surgir un terrible Minotaure et s'imaginait bientôt offerte en sacrifice. Comme s'il avait deviné ses peurs,

Mattéo tira sur un pan de son chemisier qui dépassait de son blouson et lui lança :

— Hé, Ariane ! Faudrait que tu détricotes ta chemise pour nous faire un fil…

— N'importe quoi ! protesta sa sœur en assénant une petite tape sèche sur ses doigts pour lui faire lâcher prise.

— Ah, vous parlez de Thésée ! intervint Emrys. Je l'ai bien connu… C'était un Atlante.

Alixe et Mattéo se figèrent, abasourdis. Qu'Emrys affirme avoir connu un Atlante était surprenant, mais qu'un héros légendaire, appartenant à la mythologie, ait pu réellement exister, voilà qui se révélait encore plus ahurissant.

— Eh oui ! C'était un des fils de Poséidon, le fondateur de la dynastie royale des Atlantes, ajouta le jeune Arya le plus naturellement du monde. Il n'était pas très futé, le pauvre Thésée. Je peux même dire que c'était une brute qui n'avait recours qu'à la violence et à la ruse. Du sang de Dâsa coulait dans ses veines. Après avoir séduit la pauvre Ariane, qui lui a permis de retrouver son chemin dans le labyrinthe grâce à une pelote de fil, il l'a abandonnée. Elle en est morte de chagrin.

— Euh… Excuse-moi, mais tu parles bien de Thésée et d'Ariane, les personnages de la mythologie grecque ? intervint Alixe, hésitante.

— Mythologie ? s'étonna Emrys. Ah oui, pardon ! J'oubliais. À vos yeux, nous, les hommes des Premiers Temps, nous sommes pour la plupart des personnages de légendes, sans existence réelle. Il va falloir que je refasse votre éducation !

Alixe se demanda si son ami n'était pas en train de se payer leur tête, mais il semblait toujours si raisonnable, si peu porté sur l'humour... Elle le fixa intensément, cherchant à déceler le moindre indice de plaisanterie. Mais son visage demeurait de marbre, sérieux comme toujours.

— Je vous parlerai de l'Atlantide, de Mû et d'Hyperborée au moment opportun. Et vous verrez que plusieurs personnages que vous tenez pour des dieux ou des héros ont vraiment vécu..., déclara-t-il, sans s'apercevoir que ses paroles désarçonnaient ses compagnons.

Bien entendu, l'existence même d'Emrys et des Dâsas prouvait à Alixe et Mattéo qu'ils n'en étaient plus à une étrangeté près. Sur le plan des bizarreries, les dires du jeune Arya atteignaient dix sur l'échelle de la fantaisie et de l'irréalité.

Mattéo cligna plusieurs fois des yeux, comme s'il cherchait à se réveiller d'un rêve loufoque. Il fut même sur le point de demander à Alixe de le pincer, pour être sûr que ce qu'il entendait et vivait était bien la réalité. Il était si fatigué par cette nuit d'errance sous terre qu'il ne savait plus que croire. Leurs parents avaient-ils vraiment été kidnappés par des êtres appelés les Ténébreux? Était-il réellement en train de les rechercher en compagnie de sa sœur et d'un gars bizarre venu d'on ne sait où? Ou tout cela n'était-il que le fruit de son imagination? Allait-il bientôt se réveiller, tranquillement blotti dans son lit, sous son édredon de plumes d'oie?

Il demeurait figé au milieu du couloir, ses yeux s'égarant vers le fond de ce sentier qui semblait courir vers l'infini.

— Allez, viens! fit Alixe en le tirant par la main.

Devant eux s'ouvraient des chemins sans issue qui se croisaient, se mêlaient, se confondaient. Ils avançaient, semblaient revenir sur leurs pas, faisaient mille et un détours. La largeur des passages variait. La plupart d'entre eux avaient été taillés directement dans le roc gris sale; d'autres étaient formés de couches de pierres sèches disposées à l'horizontale. Parfois, de grands blocs s'étaient à moitié détachés de la voûte. Ils devaient alors se baisser pour passer dessous.

— J'espère que tu sais où tu vas? fit Alixe, tandis qu'Emrys enfilait un autre corridor sinueux.

Il tendit la main vers la droite, indiquant un passage plus large qui s'ouvrait comme une gueule obscure.

— Par là, c'est un cul-de-sac!

— Comment le sais-tu? le questionna Mattéo en passant sa tête dans l'ouverture de cette voie sans issue pour y jeter un coup d'œil.

— Kûpa a été construite par les Aryas…, répondit Emrys en poursuivant sa route, sans se retourner.

— Quoi? Vous avez construit cette citadelle pour les Dâsas! s'exclama Mattéo en hâtant le pas pour éviter de se laisser distancer par sa sœur et son ami.

— Pas pour les Dâsas… pour les Enfants de Mimas! Pour les sauver de l'astéroïde Shesha, poursuivit le jeune Arya.

— Je n'y comprends plus rien! soupira Mattéo. Vous étiez ennemis, il me semble.

— Nous avons décidé d'écouter les avertissements d'Agrios, l'Exilé, raconta de nouveau Emrys. Notre grand prêtre Agni était du même avis que lui: l'astéroïde nous menaçait tous. En calculant sa trajectoire, Agrios et Agni en avaient déduit que cet Errant tomberait non loin de La Colline, la patrie des Géants. En raison de sa masse, de sa taille et de sa vitesse, toutefois, le Gondwana ne serait pas épargné. Nous avons donc fait creuser des abris souterrains par les

Hommes-Machines, au cœur des montagnes de notre continent. Nous y avons stocké des provisions et tout l'équipement technologique dont nous disposions pour les éventuels survivants. Nous savions que tous ne pourraient pas survivre au cataclysme, mais ceux qui s'en tireraient devaient pouvoir passer plusieurs années sous terre, sans manquer ni de nourriture ni de ressources pour relancer notre civilisation. Depuis des années, nous avions entrepris de graver, sur des disques de bronze ou d'obsidienne, la plupart de nos connaissances afin de préserver ce que nous avions appris et découvert au fil des millénaires. Ces disques étaient confiés aux Gardiens des secrets de la vie, dont je fais partie. Agni ordonna donc d'accélérer l'archivage.

La voix d'Emrys se brisa à l'évocation de ces souvenirs douloureux. Alixe posa sa main sur son épaule pour le réconforter.

« Lors de la réunion du conseil à Shamballa pour décider de ce que nous devions faire devant la menace de l'astéroïde, il se passa quelque chose qui allait à tout jamais changer la vie des Aryas, poursuivit-il en reprenant le contrôle de ses émotions.

— Nous ne pouvons pas abandonner les Namlù'u à leur sort, déclara le Géant Antée dès le début de l'assemblée. Les Enfants de Mimas ne savent pas lire la course des Resplendissants. Ils ne sauront pas prévoir la chute d'un Errant aussi dangereux que l'astéroïde Shesha. Il faut les aider. Il s'agit de notre peuple, après tout.

— Que proposes-tu? lui demanda le roi Indra.

— Vos Hommes-Machines sont en train de creuser des abris pour nous, les Exilés, et pour vous, les Aryas. Il faut en faire plus, de plus grands qui pourront aussi accueillir ceux des Enfants de Mimas qui demanderont à se réfugier au Gondwana. D'après ce qu'Agrios et Agni ont découvert, la Laurasia subira les plus grands dommages. Il faut permettre à tous de se réfugier au Gondwana.

« Indra n'était pas tellement emballé à l'idée d'ouvrir toutes grandes les portes de son royaume à des êtres aussi violents que les Enfants de Mimas, mais il ne pouvait pas non plus leur tourner le dos et les laisser mourir sans intervenir.

— Nous ne pouvons pas prétendre être pacifiques et laisser d'autres hommes sans secours, déclara le roi des Aryas.

— Nous pourrions leur envoyer des messagers, suggéra le général Vijay en se tournant vers Og et Talmaï, qui s'étaient révélés des ambassadeurs hors pair pendant de nombreuses décennies.

— Nous sommes des Exilés. Si vous nous renvoyez à La Colline, nous serons massacrés avant d'avoir pu ouvrir la bouche, prévint Talmaï, inquiet pour sa vie et celle de son ami Og.

— Talmaï a raison, soupira Antée. Mimas a un ego démesuré ; il n'écoutera aucun Exilé. Pour lui, nous ne sommes que des condamnés à mort en sursis. Voilà des années que nous ne parvenons même plus à contacter par transmission de pensée les membres de nos familles restées là-bas. Ils nous ont complètement rayés de leurs rangs.

— Je vous préviens, je n'enverrai aucun Arya ! avertit Indra. De toute façon, Mimas ne laissera jamais un de nos vailixis s'approcher de sa capitale. Notre vaisseau sera détruit en vol.

— À mon avis, seul un Homin devrait pouvoir remplir cette mission ! jugea le conseiller Hari.

« Celui-ci était sans aucun doute l'Arya qui avait le plus de contacts avec ce peuple de singes-lions que beaucoup traitaient comme des animaux. À force de les fréquenter, il avait vite décelé leur grande intelligence, et il s'était lié avec Humbaba, le chef des hommes de la forêt.

« C'était la seconde fois que Hari suggérait de faire intervenir les Homins, et ce jour-là, Indra ne refusa pas l'aide proposée.

— Comment comptes-tu t'y prendre ?
l'interrogea le roi des Aryas.

— Confions un message gravé sur un
disque de cuivre à Humbaba. Les Enfants de
Mimas n'ont jamais eu affaire aux Homins, ils
n'en ont sans doute jamais vu. Ils vont chercher à
le capturer. L'homme de la forêt remettra son
message. Ensuite, la balle sera dans le camp
de Mimas. Ce sera à lui de déterminer si son
peuple doit vivre ou mourir.

— Hum ! J'espère qu'ils ne vont pas le
tuer... N'oublie pas que les Enfants de Mimas
sont des chasseurs...

— Humbaba a plus d'un tour dans son
sac, il ne se laissera pas tuer ! certifia Hari,
avec un petit sourire à l'intention d'Og et de
Talmaï.

« Depuis que les deux Exilés vivaient au
Gondwana, ils avaient appris, par les récits
moqueurs des Aryas, comment Humbaba
les avait vaincus grâce à ses Sept Épouvantes
lorsque, quelques milliers d'années plus tôt, ils
avaient essayé de voler le bois de la Forêt sacrée
des Cèdres.

« La discussion se poursuivit longtemps,
mais aucune des autres propositions émises
ne fut déclarée meilleure. Humbaba fut donc
chargé de se rendre à La Colline pour remettre
un message à Mimas.

« Entre-temps, Indra et Antée continuè-rent à chercher des solutions pour protéger la Terre contre l'astéroïde Shesha. Les Exilés, les Aryas et les Homins furent divisés en groupes de plusieurs milliers d'individus. Par tirage au sort, certains groupes embarquèrent à bord de sous-marins et plongèrent dans les profon-deurs abyssales qui pourraient peut-être leur offrir un abri. D'autres montèrent dans des vimanas qui décollèrent vers les limites de la stratosphère*, dans l'espoir d'échapper à la destruction. Et finalement, ceux qui restaient devaient trouver refuge au sein même de la Terre, dans les cavités qui avaient été creusées à plusieurs centaines de bâtons de corde sous l'écorce terrestre. Douze Gardiens des secrets de la vie accompagnaient chaque groupe. »

— Et toi, tu t'es retrouvé sous la Terre ! en déduisit Alixe.

Emrys hocha la tête.

— Et les Enfants de Mimas ? demanda Mattéo.

— Ce ne fut pas simple de les convaincre.

« Au début, Mimas crut que le message porté par Humbaba n'était qu'un moyen de les attirer à Shamballa pour les détruire. Mais un jour, la trajectoire de l'astéroïde l'amena si près de la Terre qu'il fut possible de le voir à l'œil nu. Les Enfants de Mimas comprirent qu'on ne les avait pas trompés. Néanmoins, beaucoup refusèrent de quitter la Laurasia, préférant mourir sur leurs terres que sur un continent étranger, disaient-ils. Par contre, les chefs namlù'u, Mimas, Lahmi, Sippai, vinrent nous rejoindre dans les souterrains... »

— Oups ! Je sens que c'est là que les problèmes ont commencé ! fit Alixe en voyant la grimace dont Emrys avait accompagné les noms des Namlù'u.

Tout à coup, sans explication, le Savant se jeta brusquement sur Alixe et la plaqua au sol, faisant signe à Mattéo de se baisser. Instinctivement, le garçon se lança à plat ventre dans la poussière. Une boule lumineuse, ressemblant à une grosse bille de verre, rasa leurs têtes en émettant un « chttt » assourdi.

— Qu'est-ce que... c'était ? bégaya Mattéo en se retournant.

Mais déjà, la boule avait disparu au fond du souterrain.

— Un lumiglobe ! répondit Emrys sur le même ton. C'est un détecteur de chaleur. Ça se déclenche automatiquement. Soyons sur nos gardes !

CHAPITRE 15

Le trio continua à errer dans le dédale de couloirs sombres. Emrys se taisait, attentif au moindre bruit. Plusieurs lumiglobes les survolèrent, mais chaque fois, ils parvinrent à les éviter grâce au sixième sens du jeune Arya, qui les prévenait à temps.

Puis, brusquement, sans que rien ne puisse laisser présager quoi que ce soit, Alixe et Mattéo chancelèrent. Ils se sentaient mal, avaient chaud, terriblement chaud. Ils furent pris de nausées et de maux de tête douloureux. Fiévreux, ils étaient sur le point de s'écrouler.

Ils venaient d'entrer dans une salle aux parois si lisses qu'on aurait pu les croire en acier. En voyant leur état, Emrys comprit aussitôt ce qui se passait. Pour l'instant, lui-même ne ressentait aucun des symptômes qui incommodaient ses amis, mais il sut que s'ils ne sortaient pas rapidement de cette pièce, ils allaient mourir tous les trois.

— Des murs thermiques ! gronda-t-il.

Alixe et Mattéo étaient pliés en deux en raison de fortes crampes. Leur front se couvrait de sueur. Ils haletaient.

— Vite, filons d'ici !

Au moment où le jeune Arya prononçait ces mots, il perçut un bruit très léger, comme un glissement. Il pivota sur ses talons. L'entrée par laquelle ils venaient de pénétrer dans la salle était en train de se refermer. Des portes d'acier sortaient sans bruit des parois latérales pour les prendre au piège.

Emrys se jeta sur Alixe, l'attrapa par un bras et la propulsa de l'autre côté des portes. Puis, se retournant, il se saisit de Mattéo et se faufila entre les deux battants. Il restait juste assez d'espace pour que les deux garçons s'y glissent. Un pan du manteau de Mattéo resta coincé entre les deux panneaux d'acier qui se refermèrent hermétiquement. L'adolescent tira à plusieurs reprises, mais il n'y avait rien à faire. Il retira son blouson et l'abandonna aux mâchoires d'acier.

— Ça va ? les interrogea Emrys.

Alixe et Mattéo lui firent un signe de tête. Ils étaient tétanisés, à la fois par la peur et par cette étrange maladie qui les avait frappés sans prévenir.

— Pouvez-vous courir ?

Le frère et la sœur se regardèrent, puis firent signe que oui. Les trois adolescents s'enfuirent le plus loin possible de ce piège auquel ils avaient échappé de justesse.

Lorsqu'ils reprirent leur souffle, ils constatèrent que, malgré les efforts qu'ils venaient de faire, leur corps retrouvait peu à peu sa température habituelle. Les maux de tête s'atténuaient, et ils avaient moins chaud.

— Qu'est-ce qui s'est passé ? bredouilla Alixe en essuyant son front humide de sueur du revers de la main.

— De l'énergie a été projetée à travers les parois dans le but de perturber notre organisme interne en imitant les symptômes de la fièvre, expliqua le jeune Arya. Les Dâsas utilisent des micro-ondes qui interfèrent avec notre activité cérébrale. Ça fait partie des armes à énergie dirigée dont je vous ai déjà parlé. Ça permet d'immobiliser des ennemis à distance en créant des dommages au cerveau.

— Bon Dieu ! On m'a toujours dit que j'étais une tête brûlée, mais là, ç'a bien failli être le cas pour de vrai, blagua Mattéo, usant d'humour pour masquer sa peur.

— Nous l'avons échappé belle ! confirma Alixe en souriant à son frère. Ils savent où nous sommes ?

— Je ne pense pas, répondit Emrys. On a déclenché ces pièges nous-mêmes, probablement en passant devant des capteurs.

Il se mordilla l'ongle du pouce, réfléchissant au meilleur moyen de se diriger dans la citadelle sans pour autant se mettre en danger en activant des systèmes de protection automatiques.

— On a failli être séparés par les portes d'acier, analysa Alixe. Ç'aurait été une catastrophe.

— Oui, mais si on reste groupés, on peut tomber dans un autre piège, et aucun de nous trois ne sera en mesure d'aller chercher de l'aide, soupira Mattéo.

— Nous ne pourrons pas aller chercher de l'aide quoi qu'il arrive, lui répondit Alixe. C'est Emrys qui porte le cristal qui nous fournit de la lumière, et lui seul sait se diriger dans ce labyrinthe…

— Tu as raison, Alixe. Il ne faut pas s'éloigner les uns des autres de plus d'un ou deux pas, continua Emrys. Tant que je suis avec vous, vous aurez une chance de sortir d'ici… Sans moi, ce sera presque impossible.

— Sais-tu exactement où se trouvent nos parents? s'inquiéta Mattéo.

— Oui, ne vous inquiétez pas! Kûpa dispose d'une salle de rétention que nous avons utilisée autrefois pour contenir les Enfants de Mimas récalcitrants.

En voyant l'air interrogateur de ses deux compagnons, Emrys sut qu'il devait terminer son histoire s'il voulait que les deux adolescents comprennent pourquoi il connaissait Puits profond comme sa poche, et pouvait s'y diriger les yeux fermés… ou presque !

Ce qu'il ne leur dit pas, toutefois, c'est que depuis que les Dâsas s'y étaient installés, ils avaient transformé certains endroits en pièges ou en oubliettes. Il avait été aussi surpris qu'eux en faisant l'expérience de la salle aux murs thermiques.

— Soyez sans crainte, les rassura-t-il cependant. Je sais comment me faufiler dans cette salle sans attirer l'attention des Dâsas. Kûpa s'étend jusqu'à plus de cent mètres de profondeur, elle est construite sur dix étages. Autrefois, elle pouvait accueillir plus de dix mille personnes.

— Dix mille ! s'écria Alixe.

— Elle a été construite pour les Enfants de Mimas. Ils avaient fini par accepter notre aide, mais avec des réticences, poursuivit Emrys.

« L'astéroïde Shesha était désormais si près de nous qu'il était impossible d'évacuer tous les chasseurs-guerriers. Il était beaucoup trop tard. Leurs chefs, Mimas, Lahmi et Sippai, vinrent nous rejoindre avec presque un millier de leurs hommes à Shamballa, mais la plupart des Namlù'u restèrent en Laurasia, au grand désespoir d'Antée qui se considérait toujours comme le roi légitime des Géants.

— Indra, il faut leur envoyer des Hommes-Machines ! plaida-t-il lors d'une audience privée avec le roi arya.

— Les montagnes peuvent leur offrir des abris souterrains, mais ils n'auront pas le temps de les aménager eux-mêmes. Seuls les Hommes-Machines pourront creuser assez profondément et assez rapidement pour leur donner quelque chance de survie.

« La construction d'Agartha, notre futur royaume souterrain, étant achevée, les Aryas n'avaient pas un besoin pressant des Hommes-Machines. Indra accepta de les envoyer en Laurasia pour aider les Enfants de Mimas qui s'y trouvaient. Ils creusèrent plusieurs cités souterraines, dont les plus importantes, Kûpa et Enegup. Toutes ces cités furent reliées entre elles par de longs corridors jusqu'à Agartha.

« Pendant ce temps, les Aryas et les Exilés évacuèrent complètement Shamballa et la Cité des Roses, ainsi que toutes les petites villes qui avaient poussé comme des champignons depuis des centaines d'années.

« Ceux qui ne s'étaient pas réfugiés dans les abysses ou dans l'espace s'enfoncèrent sous terre, dans ce qui prendrait bientôt le nom de royaume d'Agartha.

« La décision de nous enfouir dans le sol fut prise juste à temps. La présence de Shesha perturba tellement l'atmosphère terrestre que notre planète faillit éclater. Le général Vijay eut toutefois une idée, celle de la dernière chance pour repousser la menace.

— Nous pourrions concentrer toutes nos forces pour désintégrer ce corps céleste monstrueux, proposa-t-il à Indra, Antée et Mimas, qui formaient le triumvirat* d'Agartha.

« Les Aryas disposaient d'un armement très sophistiqué, qui avait été abandonné sur place à Shamballa, mais qui pouvait être activé à distance.

— Nous pouvons faire converger toute notre énergie sur Shesha pour en dévier la course, expliqua le général.

« Son plan fut accepté sur-le-champ puisque, de toute façon, il n'y avait aucune autre solution.

« Les plus puissants faisceaux d'énergie des Aryas – ce que vous appelez missiles nucléaires – furent lancés contre l'astéroïde. Malheureusement, cela n'atteignit pas le but recherché, mais créa plutôt des distorsions qui désintégrèrent nos instruments électroniques. Mais ce ne fut pas le plus grave. »

La voix d'Emrys était enrouée, comme s'il tentait de retenir des sanglots.

« Le plus terrible… ce fut que cela détruisit aussi les vimanas de ceux qui avaient trouvé refuge dans l'espace, c'est-à-dire une grande partie de notre peuple. Des milliers d'Aryas perdirent la vie.»

Alixe et Mattéo affichèrent un air navré, mais comme leur ami semblait emporté dans ses souvenirs, ils n'osèrent pas l'interrompre pour manifester leur sympathie.

— Malgré cela, l'astéroïde Shesha continua sa course sans dévier d'un iota*, poursuivit le jeune Arya, de plus en plus triste au fur et à mesure de sa description. De violents orages électriques ébranlèrent toute la planète, détruisant nos centrales d'énergie comme des châteaux de carton. Les forêts s'enflammèrent à cause de la foudre. Des vents terribles balayèrent la surface de la terre, détruisant tout sur leur passage. Les océans montèrent et ravagèrent les terres du nord au sud, de l'est à l'ouest. Les volcans crachèrent leur lave en fusion. Des gouffres immenses se creusèrent, avalant des pans entiers de paysages. Des montagnes se dressèrent, puis éclatèrent en mille morceaux. La Laurasia et le Gondwana furent ravagés. L'air était si chaud, si chargé de gaz toxiques et de poussière que les animaux moururent par centaines de milliers.

« Mais on n'avait pas encore tout vu. Le pire était à venir. Lorsque l'astéroïde heurta le sol à une vitesse cataclysmique, la planète se déplaça sur son axe et les conditions de vie sur la Terre en furent inexorablement changées pour des milliers d'années. Les cieux furent remplis de nuages de poussière et de fumée si denses que le soleil en fut masqué, plongeant notre monde dans un hiver glacial qui perdura. Il était donc devenu impossible de vivre à la surface de notre planète. Le royaume d'Agartha, qui ne devait être qu'un refuge temporaire, devint dès lors notre résidence permanente. Quelques installations scientifiques y avaient été construites, comme la Salle du Cristal pour nos besoins en énergie, mais nous avons perdu beaucoup d'équipement qui aurait pu nous être utile. Heureusement, les disques de bronze et d'obsidienne fabriqués sous la supervision du grand prêtre Agni conservaient une trace de tout notre savoir... »

— Wow! fit Mattéo en relâchant l'air de ses joues gonflées.

Emrys esquissa un sourire, et poursuivit son récit.

— Comme je l'ai dit, les Aryas, les Namlü'u et les Exilés se trouvèrent donc pour la première fois à devoir coexister sur le même territoire. Ce qui ne fut pas toujours évident, car les trois peuples avaient des mentalités et des façons de vivre fort différentes. Les Aryas avaient des connaissances beaucoup plus poussées que les Géants. Cela devint une importante source de tensions, car les Namlù'u n'acceptaient pas que nous leur soyons supérieurs.

— Hé! C'était une sorte de Nations Unies du centre de la Terre! s'exclama Mattéo.

— Oui, la comparaison est bonne! fit Emrys. Imaginez, il y avait plus d'une centaine de cités souterraines qui formaient le royaume d'Agartha. Parmi les plus importantes, Posid et Shingwa, qui comptaient chacune plus de un million et demi de personnes; Rama abritait presque un million d'individus, et Shonshe, environ trois quarts de million. Mais la plus imposante de toutes, celle qui devint la capitale du royaume souterrain, était Telos, une cité construite sur cinq niveaux pouvant recevoir jusqu'à cinq millions d'âmes.

— Pouach! Nous sommes sous terre depuis une douzaine d'heures… et j'en ai déjà marre! grommela Mattéo. Je ne m'imagine pas y vivre toute ma vie…

— Nous n'avions pas le choix! Les conditions à la surface étaient invivables. Il a fallu s'adapter à notre nouvel environnement, laissa tomber Emrys. Mais je peux t'assurer que ce n'est pas de gaieté de cœur que la plupart d'entre nous ont accepté de vivre dans ces conditions, privés d'air pur et de la chaleur du soleil, même si nous avions pris soin de construire des cités vastes, bien aérées et dotées d'un confort assez similaire à celui que nous avions connu à Shamballa.

— Excuse-moi… mais… tu ne trouves pas ça étrange, toi, que les Dâsas ne nous soient pas encore tombés dessus à bras raccourcis? l'interrompit Mattéo en regardant de tous les côtés.

— C'est vrai, ça! s'exclama Alixe qui, pour une fois, fut entièrement d'accord avec son frère. On est là, on se promène, on discute, on fait du bruit… mais rien, pas la moindre touffe de cheveux d'un Dâsa. Je veux bien croire qu'ils comptent sur leurs pièges pour nous arrêter ou même qu'ils soient occupés à soigner Ankel, mais… c'est pas normal!

Emrys s'était fait la même réflexion il y avait un moment déjà, mais n'avait pas voulu inquiéter ses compagnons en la formulant à haute voix. Tous ses sens étaient en éveil, mais il n'avait rien capté d'alarmant aux alentours.

— On dirait que cette forteresse est déserte! reprit Mattéo.

Ils grimpèrent une volée de marches usées par le temps, ou plus sûrement par les milliers de pieds qui les avaient gravies avant eux. Pour seul bruit, il n'y avait que l'écho de leurs pas. Emrys était tendu comme s'il appréhendait le pire.

Ils débouchèrent sur une grande place. Vide. Malgré les avertissements que leur avait servis le jeune Arya plus tôt, ils se dispersèrent pour examiner les entrées de maisons creusées dans le roc. Tout était à l'abandon. Emrys s'approcha d'une fontaine qui ne crachait plus d'eau. Il remarqua que le fond était cependant humide. On s'en était donc servi peu de temps auparavant. Puis, à intervalles réguliers, il découvrit des cristaux fichés dans des petites cavités à hauteur d'homme. Il avança la main. Certains étaient encore chauds.

— Les Ténébreux étaient encore ici il n'y a pas longtemps ! déclara-t-il.

— Et nos parents ?! cria Mattéo, anxieux.

Sans prononcer une parole, Emrys se dirigea vers une énorme boule de roc qui condamnait l'entrée d'un souterrain. Il y posa son cristal, ferma les yeux et se concentra. Le bouchon rocheux oscilla pendant quelques secondes, puis roula sur lui-même pour dégager le passage. La pièce qui se trouvait derrière était vide. Désespérément vide aux yeux d'Alixe et de Mattéo.

Ils s'avancèrent avec précaution. Mais il n'y avait pas âme qui vive. Ils trouvèrent seulement deux chaises longues, et des restes de repas qu'une demi-douzaine de mulots s'employaient à nettoyer méthodiquement. Même la vue des rongeurs leur causa moins de crainte que l'absence de leurs parents, là où ils étaient convaincus de les trouver.

— Nooon ! fit Alixe, totalement découragée. Nous arrivons trop tard. Où sont-ils maintenant ?

Son frère et elle se prirent par la main, serrant très fort, pour tenter de se remonter le moral. Emrys fit le tour de la vaste salle, mais aucun indice ne lui permettait de deviner où les Dâsas avaient emmené les Langevin.

Furieux, Mattéo lâcha la main de sa sœur et donna de violents coups de pied dans les petits cailloux qui jonchaient le sol. Il était au bord de la crise de nerfs.

— Arrête ! l'intima tout à coup Emrys.

Le jeune Arya se pencha et examina attentivement le sol. Des signes y avaient été dessinés avec les doigts.

— Regardez !

Alixe et Mattéo s'approchèrent. Dans un coin étaient griffonnées des lettres à moitié effacées par la poussière que les coups de pied de Mattéo avaient projetée jusque-là :

cam enf adr s a-m l g

CHAPITRE 16

— Cam enf adr s a-m l g, épela Alixe en faisant la grimace. Ça ne veut rien dire !

— Ne me dis pas qu'Ankel a joué au pendu pour passer le temps ?! ricana amèrement Mattéo.

— Au pendu ?! Mais c'est pas un jeu ; c'est tragique ! s'exclama Emrys qui ne comprenait pas. Non, les Ténébreux n'ont pendu personne ici...

— Laisse tomber ! soupira Mattéo. T'es pas marrant comme gars, tu ne connais rien à rien.

— Cam enf adr s a-m l g, répéta Alixe sans s'occuper de son frère.

— « Cam »... comme camelote, caméléon, caméra, camping..., débita Mattéo. Allez, sortons d'ici, j'en peux plus de ces souterrains... Je vous jure qu'après ça je ne deviendrai jamais ni géologue, ni archéologue, ni rien qui m'obligera à retourner sous terre.

Ni Emrys ni sa sœur ne lui répondirent. Interpellé par leur silence, il se retourna avant de franchir l'ouverture.

— Qu'est-ce que tu fais? demanda-t-il à Alixe.

Assise sur le sol poussiéreux, elle était en train de recopier les lettres du doigt, juste sous celles qu'ils avaient découvertes plus tôt.

— Continue… «Enf», ça te fait penser à quoi?

— Enfoirés de Ténébreux! Voilà à quoi ça me fait penser! grommela Mattéo. On y va?

— Sois sérieux deux secondes, le gronda Alixe. Enf…

Mattéo soupira, puis s'approcha en fixant les lettres au sol.

— «Enf»… Enfin, enfant, enfuir, enfoncer… euh, enflammer…

— Bon! Et «adr»…? poursuivit Alixe. Adroit, adrénaline...

— Adresse! laissa tomber Emrys. Regardez! Les deux premiers mots sont nettement isolés. Leur fin a été effacée, mais on voit bien que celui qui commence par «ad» se poursuit avec le r et ensuite le s. Seules quelques lettres à l'intérieur du mot sont manquantes. Je suis sûr que c'est adresse…

— D'accord. Adresse. Et maintenant, «a-m»…? Arnaud et Mathilde, murmura Alixe, sans oser trop y croire.

— Ouais, ou avant-midi, ou après-Mathusalem…, bougonna Mattéo en poussant un soupir d'exaspération.

— Non, c'est bien Arnaud et Mathilde! s'entêta sa sœur. Regarde le l et le g; on voit clairement que ces deux lettres appartiennent au même mot. Ce sont des lettres à l'intérieur qui ont disparu, mais c'est un mot isolé. Langevin. Je suis sûre que c'est Langevin.

Malgré lui, Mattéo regarda les signes dessinés sur le sol. Sa sœur avait presque réussi à le convaincre.

— Cam... enf... adresse Arnaud et Mathilde Langevin, reprit Alixe, remplissant les espaces vides selon les conclusions qu'elle avait tirées.

— Le nom de notre rue ne commence pas par « cam »... ni par « enf »..., fit aussitôt Mattéo, retrouvant très rapidement son scepticisme habituel.

— Cam... cam... cam..., marmonna Alixe, réfléchissant à voix haute. Camping, camper, cambrioler...

— Camembert! explosa Mattéo d'un ton rageur en effaçant les lettres tracées par Alixe avec ses pieds, sans pour autant oser s'en prendre à celles qu'ils avaient découvertes. Bon, j'en ai marre! On perd notre temps, alors que les parents ont été emmenés on ne sait où. Rentrons chez nous et appelons la police.

— Cambrioler! hurla Alixe. On a été cambriolés à la camp... agne!

Elle acheva sa phrase sur une hésitation, car une idée venait de la frapper.

— L'an dernier… Campagne ! On a une maison à la campagne…

— Campagne enf… adresse Arnaud-Mathilde Langevin ! enchaîna Emrys. Tu as raison. C'est un message de la part de vos parents.

— Ils ont été emmenés à la campagne ! s'écria Alixe, surexcitée. J'en suis sûre ! Ils nous ont laissé ce message pour nous indiquer la bonne direction.

— Ouais… ou sur Mars ! bougonna son frère. On s'en va ?

— Emrys, faut-il refaire tout le trajet en sens inverse ? s'inquiéta l'adolescente en pivotant vers le jeune Arya.

Elle ne pouvait concevoir qu'elle serait obligée de marcher de nouveau pendant près de huit heures pour revenir à leur point de départ. Elle ne s'en sentait pas la force, ni physique ni morale.

— On peut sortir à la surface à partir d'ici. Il y a quelques issues… Suivez-moi ! répondit-il.

— Ben tiens ! C'est sûr qu'on va te suivre, on va pas partir de l'autre côté, idiot ! marmonna Mattéo.

Sa sœur le dévisagea encore pendant de longues secondes. Il y avait quelque chose qui ne tournait pas rond chez son frère, mais elle ne pouvait dire ce que c'était.

Le Savant prit les devants et leur fit faire, en courant, une visite express de la forteresse de Kûpa qui, comme il l'avait dit, s'étendait sur huit étages en hauteur. La salle de rétention où les Langevin avaient été enfermés quelques heures était située au deuxième niveau en comptant à partir des étages inférieurs. Heureusement, les escaliers creusés à même le roc avaient bien résisté au temps, et ils purent les gravir facilement. *Les Dâsas ont bien entretenu Kûpa*, remarqua Emrys pour lui-même. *Comme nous, nous l'avons fait de nos propres cités souterraines.*

— On va aboutir où ? questionna Alixe en tentant de ne pas se laisser distancer par Emrys.

— Dans une ancienne mine… une mine d'or ! lui répondit-il.

— D'or ? râla Mattéo, qui manquait de souffle pour suivre la cadence imposée par sa sœur et l'Arya, et qui ne cessait de maugréer sans qu'aucun des deux autres ne prête attention à ses propos.

— Je n'ai… jamais… entendu parler… d'une mine d'or… située dans notre région, reprit Alixe, haletante.

— Elle date de l'époque où nous avons construit Kûpa, expliqua l'Arya sans ralentir sa course. Nous avons toujours utilisé l'or, car c'est un métal inoxydable et inerte, que nous avons employé d'abord pour ses qualités esthétiques, pour colorer le verre en rouge ou en vert, ou à des fins médicales. Savez-vous qu'on peut inoculer des particules d'or à quelqu'un pour détecter des cellules cancéreuses ? En réchauffant ces particules d'or à l'aide de rayons X, on peut même détruire les cellules malades. C'est aussi avec des nanoparticules d'or qu'on peut détecter des gaz toxiques, par exemple le monoxyde de carbone… Oh, excusez-moi, je m'emballe ! fit Emrys en constatant que ses amis le dévisageaient avec un air ahuri, car visiblement ils ne suivaient pas du tout. Bon, bref, cette mine d'or était exceptionnelle. Et les Enfants de Mimas qui vivaient dans cette région ont voulu l'exploiter à leur propre usage. Ils en ont usé et abusé jusqu'au dernier filon. Cette richesse leur permettait de ne plus dépendre des Aryas ni des Exilés. Ils cherchèrent même à se détacher du royaume d'Agartha pour éviter que nous profitions de cet or. Ils étaient devenus fous… complètement soumis au pouvoir du précieux métal jaune.

— Eh bien, les temps n'ont guère changé ! fit Alixe. L'or attise toujours autant les convoitises.

— Cet or a rendu Mimas, Lahmi, Sippai et d'autres chefs incontrôlables. Ils n'avaient plus qu'une idée en tête : s'emparer de tout l'or possible, qu'il se trouve dans le sous-sol de la Laurasia ou du Gondwana, poursuivit Emrys sur un ton abattu.

— Hum ! Encore des guerres et des conflits ! soupira Alixe.

— Non, tu te trompes. Cette fois, les Géants eurent une idée encore plus incroyable…

— Qu'est-ce qu'il y a de pire ? fit Mattéo.

— Ils ont résolu de se débarrasser de nous, les Aryas…

— Ah bon ! C'est pas si grave…, railla l'adolescent, mais Emrys poursuivit sans s'occuper de lui.

— Ils ont tenté de nous détruire complètement. Pour ce faire, ils ont imaginé de créer une nouvelle race, une race mi-arya mi-namlù'u, des êtres qui auraient nos connaissances et notre savoir-faire, mais la force physique des Géants.

— Par manipulation génétique ? demanda Alixe.

— Au début, ils ne savaient pas trop comment s'y prendre. Eux aussi, comme nous, étaient d'une race hermaphrodite, donc avec des caractéristiques à la fois mâles et femelles…

— C'est ça, je l'ai déjà dit… un escargot ! laissa tomber Mattéo.

— Notre reproduction, comme celle des Géants, se faisait par autofécondation, poursuivit l'Arya sans relever la remarque. Nos ovules, notre côté femelle, étaient fécondés par des spermatozoïdes, notre côté mâle, au sein de notre propre organisme. C'est pour cela que, génétiquement, nous étions presque tous pareils.

— C'est comme ça qu'on fait des tarés ! poursuivit Mattéo, rageur. Allez, grouille-toi l'escargot. Je veux sortir d'ici…

— Mattéo ! Mais qu'est-ce qui te prend ? ! fit Alixe en se retournant vers son frère, les yeux chargés de colère.

— J'en ai marre de ses salades…. Quoique, pour un escargot, hein, des salades, c'est normal !

— Nous arrivons au sixième palier, murmura Emrys à l'attention exclusive d'Alixe, qui venait de s'arrêter près de lui pour reprendre son souffle. Mattéo est en train de faire une crise de claustrophobie. Il est proche de la panique…

— Je ne comprends pas. Il n'est pas claustrophobe… Ça fait des heures qu'on est sous terre, ça se serait manifesté avant, chuchota-t-elle à son tour.

Il a eu un choc… en voyant que la salle de rétention était vide. Un choc psychologique…, répondit Emrys sans desserrer les lèvres, mais en parlant dans les pensées d'Alixe.

Mattéo s'était mis à trembler et à transpirer abondamment, presque autant que lorsqu'il s'était retrouvé sans protection dans la Salle du Cristal. D'ailleurs, les symptômes de sa crise étaient si semblables que ceux qu'il avait ressentis près du grand cristal qu'il crut à une rechute. Il sentit la nausée le gagner, puis eut une sensation de vertige. Il s'appuya sur la paroi dans la montée d'escalier. Il se sentait si mal. Il avait même l'impression de devenir sourd. Les sons qui l'avaient accompagné depuis qu'il était entré sous terre, et auxquels il avait fini par s'habituer, lui parvenaient assourdis, presque irréels.

— Alixe ! Al…

Puis ce fut le trou noir.

Il revint à lui quelques secondes plus tard. Sa sœur était en train de lui tapoter les joues pour le réveiller. Il repoussa vivement sa main, fâché, car il ne s'était pas aperçu qu'il avait perdu conscience.

— Arrête de me frapper ! cria-t-il en s'étouffant.

— Hâtons-nous de sortir ! déclara Emrys en saisissant Mattéo à bras le corps. Il a besoin d'air frais.

Les deux derniers étages furent une torture pour Mattéo, qui avait l'impression de devenir fou, et pour Alixe, morte d'inquiétude. Quant à Emrys, s'il ne se plaignait pas, il devait bien admettre en lui-même qu'il n'avait pas la constitution physique pour porter un adolescent de la stature de Mattéo sur une si longue distance.

Ils débouchèrent à l'air libre dans une carrière abandonnée, entre des amas d'outils, de brouettes et de morceaux de métal rouillés. La clarté matinale leur fit cligner des yeux. Elle était beaucoup plus intense que la lumière artificielle produite par le pendentif du jeune Arya. Ils mirent plusieurs minutes à s'y habituer. Le vent printanier qui soufflait les fit frissonner. Mattéo se frotta les bras pour en chasser la chair de poule. Son blouson était demeuré coincé entre les portes d'acier et il ne portait qu'un mince t-shirt à manches longues, ce qui était insuffisant pour cette époque de l'année.

Cependant, peu à peu, le garçon retrouva des couleurs. Alixe avait remarqué qu'il était livide à sa sortie du tunnel. L'ancienne mine s'ouvrait sur un terrain cahoteux, pierreux, à la rare végétation. Les jeunes Langevin regardaient tout autour d'eux pour trouver un point de repère. Ils ne savaient pas du tout où ils étaient.

Certainement pas dans notre ville natale, songea Alixe.

— Nous sommes environ à deux cents kilomètres, fit Emrys, répondant aux pensées d'Alixe.

— Deux cents… deux cents kilomètres de la maison, balbutia la jeune fille.

— Par les souterrains et par les raccourcis, nous avons parcouru la distance plus rapidement que par voie de surface, mais c'est ça, environ deux cents kilomètres…, confirma le jeune Arya.

Alixe s'assit sur un monticule de roches. Elle était épuisée et découragée.

— Deux cents kilomètres… Comment allons-nous rentrer? À pied, on en a au moins pour trois jours…

Elle fouilla dans les poches de son manteau, les retournant à l'envers.

— J'ai pas un sou… On ne peut même pas prendre un taxi ni un autobus.

Alixe était véritablement abattue. Elle n'entrevoyait aucune solution, bien trop fatiguée et affamée pour penser.

— Et moi, je n'ai même plus de manteau! enchaîna Mattéo. Et t'as vu la tête qu'on a?

Ils étaient sales. Leur visage était couvert d'un mélange de poussière et de sueur.

— Personne ne nous prendra en stop. Qu'est-ce qu'on fait?

— Bon, restez ici! se décida Emrys. Je vais voir s'il y a une maison aux alentours et je vais suggérer à quelqu'un de nous emmener.

— Suggérer, hein? s'amusa Mattéo. Tu vas l'hypnotiser, plutôt…

— Mattéo ! Tu devrais enlever ton bandage autour de ta tête, ça pourrait effrayer un éventuel bon Samaritain, intervint Alixe en détachant la longue bande de gaze salie.

— Au fait, elle est où, votre maison de campagne ? fit Emrys.

CHAPITRE 17

À soixante-douze kilomètres de leur point de départ, la femme qui avait accepté de les emmener à la maison de campagne des Langevin essayait encore de leur tirer les vers du nez.

L'histoire abracadabrante que lui avait concoctée Emrys pour la décider à les conduire ne la convainquait pas.

— Je vous le dis ! Nous étions en voiture avec des amis, insista encore Mattéo, répétant presque mot pour mot l'histoire qu'ils avaient mise au point pour expliquer leur présence, seuls, si loin de chez eux.

— Nous nous sommes disputés, et ils nous ont débarqués dans ce coin perdu…, poursuivit Alixe. Nous ne savions pas du tout où nous étions. Nous vous remercions de votre aide, c'est vraiment gentil de votre part.

Emrys ne prononçait pas un mot, se contentant de sourire. Leurs explications étaient quelque peu tirées par les cheveux, mais que pouvaient-ils dire d'autre ? Sûrement pas la vérité. Qui pourrait croire que trois adolescents avaient parcouru des centaines de kilomètres sous terre, en une douzaine d'heures, tout ça pour retrouver des adultes kidnappés par un peuple qui n'était pas censé exister ?

— Ça sent le brûlé ! lança brusquement la femme en fronçant les sourcils et en regardant autour d'elle dans l'habitacle.

— Alixe ! cria Mattéo en pressant l'épaule de sa sœur qui était montée devant. Regarde !

À travers le pare-brise, il venait d'apercevoir un important nuage de fumée noire qui obscurcissait le ciel. Muette de surprise, Alixe n'osait pas formuler la pensée qui venait de lui traverser l'esprit. Et si c'était la maison, leur maison, qui était en train de brûler ? !

— Vite, madame ! fit Mattéo qui, lui aussi, était envahi de doutes affreux. Vite ! C'est peut-être notre maison !

La conductrice appuya sur le champignon et enfila le dernier kilomètre en se laissant gagner par l'inquiétude des adolescents.

Lorsqu'ils prirent le virage qui débouchait sur le chemin de gravier menant à la résidence de campagne nichée au creux d'un bois, ils surent que leurs craintes étaient justifiées. La demeure était bel et bien en flammes.

L'automobile à peine immobilisée, Mattéo se jeta dehors et courut vers la maison. L'incendie était violent, attisé par le vent qui s'était levé. Il menaçait de se propager au garage voisin et aux pins environnants. L'air était chargé de particules de cendres qui le firent s'étouffer.

Mattéo courait de gauche à droite, de droite à gauche, échappant aux mains de la conductrice et d'Alixe qui tentaient de l'empêcher de s'approcher du brasier. Il criait, criait, totalement hors de lui :

— Maman ! Papa ! Arnaud ! Mathilde ! Maman ! Papa !

Des larmes l'aveuglaient.

Quelques secondes après, la porte du garage se souleva en grinçant, puis se coinça à mi-chemin. Les trois adolescents se figèrent. Qui allait surgir ? Si c'étaient les Dâsas, c'en serait trop pour le frère et la sœur. Ils n'avaient plus la force de s'opposer aux Ténébreux. Même Emrys n'avait plus l'énergie de se battre.

Mais soudain, grâce à son don de prémonition, il sut que ce n'étaient pas ses ennemis. Mathilde et Arnaud Langevin sortirent du bâtiment, l'air hagard. Leurs enfants se précipitèrent vers eux et se pelotonnèrent dans leurs bras.

— Mattéo, Alixe ! Vous êtes là ! Oh ! Merci…, fit Mathilde en les couvrant de baisers. Comment… comment avez-vous fait ?

— Mon Dieu, que se passe-t-il ? s'exclama Arnaud, prenant finalement conscience que le feu était en train de ravager leur maison.

Emrys, mal à l'aise, était demeuré légèrement à l'écart. Cet incendie n'avait rien d'accidentel, il en était convaincu. C'était l'œuvre des Dâsas. Mais il eut beau projeter son esprit par-delà les flammes pour fouiller les bois, il ne trouva aucune trace des Ténébreux. Une fois son forfait commis, le commando ne s'était pas attardé dans le coin.

Encore heureux qu'ils n'aient pas obligé les Langevin à rester dans la maison, songea-t-il avec soulagement. *D'habitude, les Dâsas n'ont aucune délicatesse pour leurs otages. Ce sont des brutes et ils se comportent comme telles. Qu'est-ce qui a pu les retenir?* Il réfléchit quelques secondes, puis la réponse lui vint: *Ils ont encore besoin d'eux pour me capturer. Ils ne savent pas où me trouver. Ça, c'est la bonne nouvelle. La mauvaise, c'est que les Langevin ne sont sûrement pas au bout de leurs peines. Même si je quitte cette famille, Vitra ne lâchera pas prise. Sa bande va revenir pour interroger Alixe et Mattéo, cette fois. Je dois à tout prix rester pour les protéger… Mon absence serait pire que ma présence dans leur entourage.*

Reprenant le dessus sur ses émotions, Alixe déclara:

— Il faudrait appeler les pompiers…

— Ils nous ont pris nos téléphones portables, ragea Mathilde en coulant un long regard chargé de colère en direction d'Emrys.

Elle ne savait pas comment ni pourquoi, mais elle était sûre que le garçon avait quelque chose à voir dans les récents événements.

— Prenez le mien, proposa la conductrice compatissante en tendant son appareil à Arnaud. De qui parlez-vous ? Vous avez dit « ils »… demanda-t-elle ensuite à Mathilde.

Cette dernière ne répondit pas, mais s'avança vers Emrys d'un pas déterminé. Elle était furieuse.

— Il va falloir que tu nous expliques tout ça ! fit-elle en désignant les ruines fumantes.

— Mais, maman… Emrys n'a rien à voir là-dedans, intervint Alixe en venant se placer près du jeune Arya.

— Oh si ! Et il le sait très bien !

Ses yeux verts se fixèrent dans les iris noirs de l'adolescent. Les paillettes d'or qui y dansaient étaient chargées de menace.

— Ses petits amis nous ont d'abord menacés, puis emmenés je ne sais où, dans un cachot sombre, froid et humide… Et maintenant… ça ! Tu nous dois des explications, Emrys, et tâche que ce soit clair et acceptable !

— Ce ne sont pas ses amis…, tenta Alixe, mais la sirène des pompiers vint interrompre son plaidoyer.

Les sapeurs se contentèrent d'éteindre les flammes et de noyer les braises. Il n'y avait plus rien à sauver. Un policier interrogea sommairement les Langevin et ajouta qu'ils seraient bientôt convoqués au poste pour une déposition plus complète. Arnaud et Mathilde avaient déclaré qu'ils allaient porter plainte pour enlèvement, séquestration et incendie de leur résidence. Mathilde ne décolérait pas. Cependant, sans savoir pourquoi, elle fit preuve de retenue en n'impliquant pas Emrys. Même si elle le tenait pour responsable des événements, elle ne parvenait pas à lui en vouloir tout à fait. Trop de zones demeuraient obscures. Elle voulait lui parler avant de prendre une décision sur son compte.

Une heure et demie après leur arrivée sur les lieux, les adolescents, cette fois accompagnés de leurs parents, remontèrent dans la camionnette. Leur conductrice avait proposé de les ramener en ville. N'ayant aucun autre moyen de transport, les Langevin avaient accepté.

Pendant tout le trajet, personne ne prononça un mot. Puis, une fois en ville, sur les indications d'Arnaud, la femme les déposa devant chez eux. Elle repartit en s'interrogeant sur cette étrange famille, regrettant d'avoir accepté de conduire ces trois adolescents à destination. Seul le policier avait pensé à lui demander son nom et ses coordonnées. Elle n'avait pas du tout apprécié, car elle ne voulait pas être mêlée à l'affaire louche qu'elle soupçonnait.

De retour dans leur résidence principale, Mathilde la découvrit sens dessus dessous, telle qu'elle avait été laissée à la suite de leur départ forcé. Fébrile et rageuse, elle ramassa quelques objets qui traînaient, mais Arnaud lui demanda de s'asseoir sur le canapé. Avant de faire le ménage, une discussion sérieuse s'imposait.

— Emrys…, commença Arnaud. Les gens qui nous ont enlevés en avaient après toi… Tu le sais !

Debout au milieu du salon, flanqué d'Alixe d'un côté et de Mattéo de l'autre, le jeune Arya hocha la tête pour confirmer.

— Je ne sais pas à quelle bande de voyous tu appartiens ou ce que tu leur as fait, mais tu n'avais pas le droit de mêler Mattéo et Alixe à tes histoires…, fulmina Mathilde.

— Mais… maman, c'est pas…, l'interrompit Alixe, se faisant couper la parole à son tour par sa mère.

— Toi, pas un mot ! C'est Emrys que je veux entendre !

— Ouch ! Ils ne te croiront pas…, souffla Mattéo en se tournant vers le Savant.

— Emrys, nous t'écoutons ! insista Arnaud.

— Alixe, Mattéo, asseyez-vous ici, ajouta Mathilde en se poussant pour leur faire une place sur le canapé, tandis qu'Emrys demeurait campé devant eux, comme un condamné devant ses juges.

— Bon, alors voilà…, commença Emrys. Le commando qui vous a kidnappés appartient au peuple des Dâsas, appelés aussi les Ténébreux. Il est dirigé par Vitra, le plus âgé. Ils me cherchent parce que je suis un Arya, mais surtout un des Gardiens des secrets de la vie. Vous avez sans doute remarqué qu'ils ont d'étranges facultés, par exemple voir dans le noir. Mais ce n'est pas tout. Ils peuvent lire dans les pensées ou paralyser les gens sans les toucher, et ont plusieurs autres pouvoirs. J'ai les mêmes…

Pendant une dizaine de minutes, Emrys raconta d'où il venait, qui il était, pourquoi il se trouvait là et pourquoi les Dâsas cherchaient à l'empêcher de réussir sa mission.

Au fur et à mesure du récit du jeune homme, les visages d'Arnaud et Mathilde passèrent par toute une gamme d'émotions, affichant souvent des airs d'incrédulité, parfois un sourire, mais le plus souvent, la fureur et l'incompréhension.

Lorsqu'il s'interrompit, Arnaud, hors de lui, s'écria en bondissant du canapé :

— T'as fini de te payer notre tête ? C'est n'importe quoi ! On a affaire à un fou, ma parole !

— Je le savais qu'ils te croiraient pas ! intervint Mattéo en secouant la tête.

— Ne te mêle pas de ça, Mattéo! le réprimanda Mathilde.

— Mais c'est la vérité! insista Alixe en revenant se placer près d'Emrys. Vous devez le croire…

Elle avait les yeux remplis de larmes.

— Sans lui, on ne vous aurait pas retrouvés, on n'aurait pas su que vous étiez à la campagne.

— J'en ai assez entendu! gronda Arnaud. Nous sommes samedi, tu as de la chance. Tu passeras le week-end ici, mais dès lundi je te conduis à l'APDDE*…

— Non! Papa! Vous ne comprenez donc rien! supplia Alixe. Emrys est un Arya, un Savant… Vous ne pouvez pas le laisser tomber comme ça! Nous avons suivi le message…

— Ça suffit, Alixe! Monte dans ta chambre. Toi aussi, Mattéo, reprit Mathilde. J'en ai assez entendu. Si vous ne cessez pas, j'appelle les autorités tout de suite et je fais embarquer Emrys sur-le-champ.

La menace eut de l'effet. S'il n'y avait eu qu'eux en jeu, les deux adolescents auraient poursuivi leurs argumentations; ils en avaient l'habitude. Mais l'ultimatum était clair, et le danger qu'il soit mis à exécution, trop grand pour Emrys. Dans l'état de panique et de confusion dans lequel se trouvaient leurs deux parents, ils savaient que ce n'était pas du bluff. S'ils insistaient trop, Emrys serait arrêté.

Les adolescents échangèrent des regards navrés. Ils ne savaient pas comment convaincre leurs parents de garder Emrys avec eux. Ce dernier leur fit un discret clin d'œil; il ne paraissait pas inquiet.

Soyez sans crainte, entendirent-ils dans leur tête. *Tout va bien se passer. On se voit plus tard.*

Malgré ces paroles rassurantes, Emrys était néanmoins soucieux. Il était hors de question qu'il se laisse enfermer dans un centre pour jeunes. Les Dâsas seraient trop heureux de l'y retrouver pour lui faire un mauvais parti.

Le jeune Arya lisait à livre ouvert dans les pensées de Mathilde et d'Arnaud. Les Langevin voulaient se débarrasser de lui et, surtout, interdire à Alixe et Mattéo de le fréquenter à nouveau. Ils le voyaient comme un jeune délinquant qui avait des comptes à régler avec une bande rivale. Pour eux, tout se résumait à une guerre de gangs.

Lorsque les portes des chambres d'Alixe et Mattéo claquèrent, Arnaud se tourna vers Emrys.

— Toi aussi, tu peux aller dans ta chambre… et ne t'avise pas d'aller retrouver nos enfants!

Emrys monta rapidement à l'étage, mais, grâce à ses facultés, il pouvait continuer à écouter les propos que les parents Langevin échangèrent entre eux.

— Comment ont-ils su que nous étions à la campagne ? demanda Mathilde en replaçant les deux lampes qui avaient été renversées par les Dâsas la veille.

— Alixe a dit qu'ils avaient suivi notre message... Quel message ? réfléchit Arnaud à voix haute en redisposant les meubles et en rangeant les magazines dispersés sur le tapis.

— Mon Dieu ! Nous n'avons laissé qu'un seul message... dans la prison... dans la poussière ! s'exclama Mathilde en pivotant vers son mari.

Arnaud, abasourdi, se laissa tomber sur le canapé.

— Nous avons laissé ce message pour d'éventuels sauveteurs, poursuivit Mathilde en s'asseyant à son tour.

— C'est impossible ! Qu'auraient-ils été faire dans cet endroit ? Nous ne savons même pas où il est situé. Les jeunes qui nous ont agressés nous avaient bandé les yeux pendant le trajet pour y aller et pour le quitter...

— Comment, comment Alixe et Mattéo ont-ils pu le trouver ?

— Emrys ! Si Emrys ne fait pas partie de cette bande, il la connaît ! C'est évident ! Il les a emmenés dans ce repaire puis, ne trouvant pas ses... ses... ses ennemis, comme il dit, il a demandé à nos enfants de le conduire à la maison de campagne. Il pensait sûrement les trouver là-bas. Il faut vite le remettre aux autorités, tout autant pour son bien que pour celui de nos propres enfants.

Emrys ferma les yeux. Arnaud et Mathilde étaient si loin de la vérité qu'il lui serait impossible, dans un court laps de temps, de les convaincre. Pour l'instant, il n'y avait qu'une solution : disparaître de leur vie.

Dès qu'il eut rejoint sa chambre, l'Arya communiqua par transmission de pensée avec Alixe et Mattéo, puisqu'il n'avait pas besoin de se déplacer physiquement pour établir le contact.

Je vais devoir m'éloigner pendant un certain temps. Mais je garde un œil sur vous, je ne vous abandonne pas, leur dit-il. *Restez sur vos gardes. Les Dâsas ne vous lâcheront pas. Lundi, je retournerai à l'école comme si de rien n'était, Mattéo. Je dois rester près de toi pour te protéger d'Ankel. Vos parents vont prévenir l'APDDE, vous ne pourrez rien y faire. Mais ne vous inquiétez pas pour moi, je saurai me débrouiller.*

— Misère ! Notre voyage scolaire en Islande ! C'est la semaine prochaine, s'exclama Mattéo. *Depuis que tu es à l'école, tu as travaillé avec nous pour monter ce projet d'études, tu ne peux pas rater ça…*

— *Hum ! Le voyage en Islande, je l'avais presque oublié...*, dit Emrys.

Il marqua une pause de quelques secondes, puis enchaîna :

— *Ne vous inquiétez pas... je serai là ! Je trouverai un moyen de vous accompagner.*

— *Tu vas partir quand ?* demanda Alixe, attristée.

— *Cette nuit,* répondit Emrys, *ce sera plus discret. Vos parents ont décidé de nous apporter nos repas dans nos chambres pour éviter que nous soyons ensemble.*

— *Je... Je voudrais...*, murmura Alixe, mal à l'aise.

Rompant le contact avec Mattéo, l'Arya répondit au désir non formulé de la jeune fille et déposa un long baiser virtuel sur ses lèvres.

À suivre...

LEXIQUE

APDDE (l') : Association de protection et de défense des droits des enfants

Cataphile (un) : personne qui aime les grottes, les souterrains

Désertification (une) : transformation d'une région en désert

Empennage (un) : petites ailettes placées à l'arrière d'un projectile pour lui donner de la stabilité

En-cas (un) : collation

Géode (une) : sphère pierreuse creuse dont les parois sont tapissées de cristaux

Gueux (un) : un sans-abri

Iota (un) : lettre grecque, la plus petite de toutes. Ne pas bouger d'un iota : ne pas bouger du tout

Iridium (de l') : métal blanc, très dur et cassant

Kurta pajama : longue chemise descendant aux genoux sur un pantalon large

Léonine (adj. fém.) : qui évoque le lion

Mégapole (une) : agglomération de plusieurs millions d'habitants

Papier émeri: papier recouvert d'une poudre abrasive, papier de verre; papier sablé au Québec

Relent (un): odeur

SDF: abréviation de «sans domicile fixe»; on dit aussi un sans-abri, un itinérant, un clochard

Simiesque (adj.): qui évoque le singe

Stratosphère (la): région qui se situe entre 12 et 50 km d'altitude selon la latitude de la Terre d'où elle est calculée

Triumvirat (un): alliance de trois personnes pour diriger un pays ou un royaume

LES PERSONNAGES

Les humains

Alixe (16 ans): elle aimerait travailler en solidarité internationale.

Arnaud (44 ans): il est professeur d'histoire à l'université.

Mathilde (42 ans): elle travaille en financement des entreprises dans une banque.

Mattéo (13 ans): il aimerait devenir animateur 3D et il pratique le judo.

Les Aryas (les Savants)

Agni: le grand prêtre

Emrys: l'un des Gardiens des secrets de la vie

Hari: un conseiller, ami des Homins

Indra : le roi
Samyou : le responsable de la prospérité
Vijay : le général

Les Dâsas (les Ténébreux)
    Ahi (20 ans)
    Max Ankel (14 ans)
    Nisha (22 ans)
    Nyctalopes (les) : caste au sein des Dâsas.
    Ils peuvent voir dans le noir.
    Vitra (30 ans) : chef du groupe lancé aux
    trousses d'Emrys

Les Géants (Namlù'u, Anakim, Exilés et Enfants de Mimas)
    Agrios : l'augure des Exilés
    Anak : le surveillant des terres du sud de
    la Laurasia, chef des Anakim
    Antée : l'ancien roi, un Exilé
    Hobab : le guide
    Lahmi : un chasseur-guerrier, de la caste
    des Enfants de Mimas
    Mimas : le chef des chasseurs-guerriers, de
    la caste des Enfants de Mimas, le nouveau roi
    Og : le surveillant des volcans, un Exilé
    Sikhon : le frère aîné d'Og, le surveillant
    des étoiles, un Exilé
    Sippai : un chasseur-guerrier, de la caste
    des Enfants de Mimas

Skoll: le bâtisseur de La Colline, un Anakim
Talmaï: le surveillant des océans, un Exilé

Les Gueux
Cloche-Pied: un sans-abri d'une cinquantaine d'années
Sushi: un sans-abri asiatique

Les Homins
Humbaba: le gardien de la Forêt sacrée des Cèdres

LES LIEUX
Agartha: le royaume souterrain des Aryas
La Cité des Roses: la ville des Exilés au Gondwana
La Colline: la capitale de la Laurasia
La Forêt sacrée des Cèdres: le lieu où vivent les Homins
Le Gondwana: le continent habité par les Aryas
Khass: un poste avancé du Gondwana
Kûpa: « Puits profond », la cité-refuge des Dâsas
La Laurasia: le continent habité par les Géants
Shamballa: la cité de verre, la capitale des Aryas
Thulé: l'ancienne capitale des Géants du nord de la Laurasia